솔직하게
쓰는 중입니다

강병조

시인이 되고 싶었으나 자신의 미천한 능력을
깨닫고 기자가 됐다. 중앙지 인턴을 시작으로
인터넷 언론사, 지역신문을 거쳤다. 현재는 기자를
그만두고 글쓰기 근처에 얼쩡거리며 간신히
먹고살고 있다. 지은 책으로는 〈여친이랑
여행가기〉, 〈오늘도 속으로만 욕했습니다〉가 있다.

인스타그램 @ggivemeabottle

솔직하게
정직하게
꾸준하게

프롤로그

작년 12월, 첫 책 〈오늘도 속으로만
욕했습니다(파지트)〉를 펴냈다. 그리고 10개월이
지났다. '대박'까진 아니어도 '중박' 정도는 터질
것으로 기대했던 책은 잘 팔리지 않았다. 정확히
얼마나 안 팔렸는지는 모르겠다. 출판사에서 받은
선인세를 제외하고, 2쇄를 찍으며 받은 정산으로
따져보면 대충 1,800부 정도?
물론 나 같은 신인 작가가 2쇄를 찍었다는 것은
그 자체만으로도 감사한 일이다. 하지만
개인적으로는 마냥 좋아할 일만은 아니었다.
지금의 부수는 책이 전국 도서관에 보급되는
정부사업에 선정되며 얻은 결과였다. 순전히 사업
신청서를 잘 써낸 출판사 편집자 덕이었다. 작가인
나의 솔직한 바람은 독자들의 순수한 구매로만
2쇄를 찍는 것이었다. 그래도 뭐, 거기까진
괜찮았다.

심각한 문제는 따로 있었다. 첫 책을 낸 후 더 이상 글을 쓰지 못하게 됐다는 것. 글쓰기 슬럼프였다. 글을 쓰려고 컴퓨터 앞에 한참을 앉아 있어도 도무지 글이 써지질 않았다. 마음에 드는 글, 만족스러운 글을 못 쓰는 게 아니었다. 당최 뭐부터 써야 할지, 무슨 말부터 꺼내야 할지 몰랐다. 키보드에 손을 얹고 멍하니 있었다. 그러면서도 욕심은 있었다. 첫 책보다 잘 써야 한다는, 아니 최소한 그 정도라도 써야 한다는 부담이었다. 하지만 하루, 이틀, 한 달, 반년이 지나도 글을 쓰지 못했다. 나중엔 글을 쓰는 법조차 기억이 나질 않았다. 참다못해 첫 책 편집자에게 연락했다.

"잘 지내시죠? 제가 이번에 새로 에세이를 쓰려고 하는데, 뭘 써야 할지 모르겠어요"

그녀는 가만히 내 말을 들었다. 그러면서 "첫 책을 낸 것도 대단한 것"이라며 "급하게 다음 책을 쓰려고 하기보단 우선 일기처럼 메모를 꾸준히 쓰고 모아두라"고 말했다. 출판을 목적으로 글을 쓰지 말라는 이야기였다. 그녀의 말이 큰 위로가 되지 않았다. '책이 잘 안 팔렸으니, 두 번째 책은 꿈도 꾸지 말라'는 말로 들렸다.

"사람들은 제 책에서 뭘 좋아했을까요?"

질문을 바꿔 다시 물었다. '무엇을 써야 할지'
답을 찾지 못했다면, 적어도 요즘 독자들이
'무엇을 좋아할지', 그래서 내가 '무엇을 쓸 수
있을지' 알고 싶었다. 내 책의 독자들(몇 안
되지만)이 나라는 작가, 나라는 사람의 어떤
이야기를 좋아했을까. 그걸 알 수 있다면, 그에
맞는 글을 써내면 될 것 같았다.

"찌질한 거요!"

"네?"

"작가님 글에선 찌질한 게 좋았어요"

"아... 저 생각보다 그렇게 안 찌질한데"

첫 책의 후폭풍이었다. 책을 쓸 당시, 나는
'웃겨야 한다'는 강박에 사로잡혀 있었다. 웃기고
센스 있는 글을 쓰는 작가가 되고 싶었다. 그래서
재밌어 보이는 표현을 남발하고, 평범한
에피소드에 MSG를 잔뜩 부렸다.

편집자가 말하는 '찌질함'은 그 대가였다. 하지만,
굳이 부연하고 싶지 않지만, 스스로는 그렇게
찌질하지 않다고 생각한다. 설사 예전엔 그랬을지

모르나, 지금은 아니다. 그러니까 다시 새로운
글을 써야 하는 지금에 와선 그 찌질함을
콘셉트로 쓸려야 쓸 수 없었다.

이 책은 꾸며진 찌질함도, 쓸데없는 진지함도 아닌
그 사이 어느 곳에 있을 나만의 글쓰기를 찾아
헤맨 결과다. 책의 콘셉트도, 기획도 없이 정말
키보드가 따라가는 대로 무작정 썼다. 남의 눈치
대신, 내가 쓰고 싶은 대로 나의 눈치만 보고
쓰려고 노력했다.

부끄러운 글들이 많다. 하지만, 어떤 글이든
솔직하게만 썼다면, 그게 어떤 스타일이든
내용이든 내 모습이라고 인정하고, 있는 그대로
세상에 내놓는다. 왜냐고?

그래야만 다시, 쓸 수 있으니까.

■

얼마 전, 편집자에게 판매 부수를 전해 들었다.
정부사업 650부, 유료 판매 608부, 총
1,258부였다. 유료 판매 부수에는 현재 서점
매대에 놓여있는 것도 포함된다. 생각보다 더 안
팔렸다.

1부

제목 짓기

최근 글쓰기앱 브런치스토리를 다시 깔았다. 지우고 다시 까는 게 한두 번 있는 일은 아니었다. 앱에는 첫 책 〈오늘도 속으로만 욕했습니다〉의 초고들이 보관돼 있었다. 그 중에는 다음 포털 사이트 메인에 오르며 꽤 높은 조회수를 기록한 글도 있었다. 망설이지 않고 전부 내렸다. 일단은 다시 새로운 마음으로 시작하고 싶어서였다.

많은 작가들이 자신의 첫 책을 다시 보질 못한다고 한다. 예전의 글들이 부족하게 느껴지기 때문이란다. 나도 그랬다. 하지만 그들과 다른 점이 있다면, 나는 (부족하기도 했지만) 솔직하지 못했던 글이 부끄럽고 창피해서였다. 고백하자면, 첫 책은 'B급'이라는 확실한 콘셉트를 잡고, 의도적으로 썼다. 모든 내용이 허구고 가짜였다는

뜻은 아니지만, 적어도 에피소드를 부풀려 썼다는
것은 결코 부인할 수 없다.

책을 쓸 당시 나는 '오빠를 위한 최소한의
맞춤법'으로 유명한 이주윤 작가의 책들에 푹 빠져
있었다. 그녀의 글은 통통 튀는 문체와 내용으로
절로 웃음이 나오게 했다. 에세이를 이렇게 재밌게
쓸 수 있다니. 이제껏 내가 쓴 글들을 되돌아보게
했다. 참 재미없게 썼구나, 이렇게 쓰니 아무도
관심을 안 갖지. 반성 아닌 반성을 했다.

그녀처럼 재밌게 쓰고 싶었다. 그래야만 사람들이
관심을 갖고, 출판사에서도 나 같은 이름 없는
사람의 책을 내줄 것 같았다. 평범하고 무난한 내
이야기는 아무짝에도 쓸모없다고 생각했다.

그래서 그랬다. 평범한 에피소드도, 무난한
에피소드도 최대한 재밌고, 특별해 보이도록 썼다.
퇴고를 하며, 이렇게까지 재밌진 않았던 것
같은데, 라는 생각이 들었지만 되돌릴 수는
없었다. 이미 출판사와 출간 계약서를 쓴
상태였다.

결국 타협했다. 책의 장르를 '에세이 소설'이나
'시트콤 에세이'라고 여기기로 했다. 에세이란

주관적인 장르라며, 내가 이렇게 느끼고,
경험했다고 하면 된다고 합리화했다. 그리고 끝내
책이 나왔을 땐 출간의 기쁨보다 두려움이 앞섰다.
책을 펼쳐보기 부끄러웠다.

출판계에서는 첫 책의 제목을 따라 작가의 운명이
결정된다는 말이 있다. 나 또한 첫 책 '오늘도
속으로만 욕했습니다'의 운명을 피해가지 못했다.
책을 내기 위해, 재밌어 보이기 위해 나를
속였지만, 아무에게도 그 말을 하지 못했다.
그저 속으로만 욕했다.

그리듯 쓰기

얼마 전부터 그림을 그리기 시작했다. 써지지 않는 글과 달리 그림은 그리면 그릴수록 재밌었다. 매일 딱 1장만 그렸는데, 그림을 그리면서부터는 다음 그림을 그릴 내일이 기다려지기까지 했다.

돌이켜보면 나는 학창 시절 그림 그리기를 꽤 좋아했다. 과목 중에는 미술을 가장 좋아했고, 쉬는 시간엔 항상 공책에 만화를 그릴 정도로 그림과 가까웠다. 하지만 입시가 중요한 고학년이 되면서부터는 자연스레 그림을 그리지 않게 됐다. 고교 시절엔 미술 과목 자체가 존재하지 않았고, 있더라도 이름뿐인 국영수 자습 시간이었다. 그림을 끄적거리는 친구들도 있었지만, '오타쿠'로 취급받으며 놀림감이 되기 일쑤였다.

그렇게 그림을 잊은 채 성인이 되고, 직장을 갖고, 결혼을 했다. 다시 그림을 그리게 된 건 올해 초 딸아이가 태어나면서였다. 하루가 다르게 쑥쑥

커가는 아이를 보는 일은 신기하고 재밌었다. 다른
부모들처럼 '조금 천천히 자랐으면 좋겠다'는
마음이 들었다. 이 시간을 놓치지 말고
기록해야겠다고 생각했다. 사진을 찍어도 됐지만,
몇 백 장씩 쌓여 한 번도 돌아보지 않는 스마트폰
사진첩처럼 만들긴 싫었다. 직접 손으로 그림을
그리기로 했다.

그림 그리기는 몰입이 엄청났다. 글쓰기와는
비슷한 듯 달랐다. 글쓰기는 초고 작성부터,
퇴고에 이르기까지 자신을 몰입이라는 감옥에 구겨
넣어야 했다면, 그림은 스케치를 하고 색을 칠하며
서서히 몰입의 방으로 걸어 들어가는 느낌이었다.
그러다 보면 어느새 스트레스는 사라지고 아무
잡념이 없는 평온한 기분이 들었다.

물론 내 그림 실력은 형편없었다. 엉망진창
삐뚤빼뚤. SNS에 그림을 올리면, '진짜 못
그렸다', '더 연습하고 그려라'는 댓글이 달렸다.
그런데 신기하게도 별 타격이 없었다. 남의 시선을
지나치게 신경 쓰는 내가 그림에 대한 비판에는
아무렇지 않았다. 심지어는 그 비판이 칭찬처럼
들리기도 했다. '못생긴 그림'이라는 나만의 그림

스타일을 확보한 것 같았달까. 화가, 디자이너,
일러스트레이터처럼 그림으로 이루고 싶은 게
없어서인지도 모르겠다. 키보드 앞에 죽치고 앉아
있어도 글을 쓰지 못하는 내게 그림은 위로였다.
'괜찮아, 너는 지금 적어도 뭔가를 하고
있으니까'라고 말해주는 것 같았다.

■

그림을 그린지 한 달이 넘어가자, 약간의 부담이
느껴졌다. 잘 그려야 한다는 부담은 아니었다.
이번에는 반대로 점점 실력이 좋아지는 탓이었다.
일러스트레이터인 아내가 '이제는 선을 그릴 줄
안다'고 말할 정도로 어느덧 아이를 실제와
비슷하게 그려낼 수 있었다. 하지만 그리면
그릴수록 초반의 날 것 그대로의 느낌이 사라지는
게 아쉬웠다.

글쓰기가 떠올랐다. 이러다간, 언젠가 그림
그리기도 글쓰기처럼 '이렇게, 저렇게 해야
한다'는 압박에 때려치울 게 뻔했다. 겨우 찾은
재미와 위로를 잃고 싶지 않았다. 그림마저
그만두면 정말 나는 아무것도 하지 못하는 사람이
돼버릴 것만 같았다. 다행히 이번에는 가장 훌륭한
조언자가 있었다. 나보다 앞서 이 길을 걷고 있는
아내였다.

"여보, 난 예전에 못생긴 그림이 좋았는데, 요즘은
점점 그림을 잘 그리게 됐어. 이러다가 점점
그림이 부담스럽게 되면 어쩌지"

"어차피 이렇게도 그리고, 저렇게도 그리면서 자기

스타일이 생기는 거야. 계속 그리다 보면 다시
돌아오게 돼 있어. 그냥 그려"

아내의 말처럼, 글쓰기도 마찬가지 아닐까.
이렇게도 써보고, 저렇게도 써보다 보면,
끝내 나만의 스타일이 생기지 않을까.

SNS 글쓰기

아내가 인스타그램으로 게시물 하나를 보냈다.
작사가 김이나가 청춘 페스티벌에서 한
강연이었다. 김이나는 젊은이들을 향해 말했다.
"요즘은 '진지함'에 대한 거부감이 굉장히 커요"
"자기만의 갖고 있는 어떠한 재료들을
털어버리거나 거세해 버리는 행동을 하지 마세요"
괜히 안도감이 들었다. 실은 내가 진지한
사람이어서다. 굳이 요즘 말로 '진지충'이라고
하지 않아도, 그간 '선비'라는 말을 여기저기서
많이 들어왔다. 나는 누군가 가볍게 내뱉는 배드
조크(Bad Joke)에도, 조크보다는 배드에 꽂혀
'그런 건 농담이 아니야'라고 지적하는
스타일이었다. 어울리는 친구들도 비슷했다.
우리는 오래된 영화에 나오는 70, 80년대 운동권
학생들처럼, 술자리에서 서글픈 청춘을 노래하고
나라를 걱정했다. 불행인지, 다행인지는

모르겠지만, 스스로 이런 진지함을 나쁘게 생각한 적은 없다.

그러나 첫 책을 내고, 글만큼이나 SNS 활동이 중요하다고 이야기를 들었을 땐, 이 진지함에 대한 깊은 회의감이 들었다. 나는 지금껏, 'SNS는 인생의 낭비'라는 말 때문만은 아니더라도, 남에게 보이기 위한 SNS는 하지 않았었다. 올린 게시물이라곤 그동안 읽은 책에 대한 감상뿐이었다. 그렇다고 다른 책 리뷰어들처럼, 책 내용이나 인상적인 구절, 작가 소개 등을 꼼꼼하게 올리지도 않았다. 그저 단 몇 개의 문장으로 읽고 난 느낌을 남기는 게 전부였다. 예쁜 카페에서 책과 커피 잔을 두고 찍은 사진 같은 건 없었다(현재는 아내가 SNS에서 반응이 좋으려면 예쁜 배경에서 찍어야 한다고 해서 몇 장 올렸다). 그런 까닭에 꽤 오랫동안 책 리뷰를 올렸음에도, 팔로워 수가 늘거나, 출판사의 리뷰 요청이 온다던가 하는 일은 없었다. 그래도 괜찮았다. 책을 내기 전까지는.

출판사에서는 책 원고가 거의 마무리될 때쯤, 이제 SNS 활동을 활발히 해야 한다고 했다. 그들이

말하는 '활발히'는 진지함을 쏙 빼고, 가볍고 톡톡

튀는 온라인상의 문법을 사용하란 뜻이었다.

출판사의 입장을 모르진 않았다. 요즘

베스트셀러에는 SNS에 올린 짧은 감성 글을 묶어

낸 책들이 많다. 책을 내줄 때도 작가가 얼마나

글을 잘 쓰는 냐가 아니라, 얼마나 많은 팔로워를

확보한 인플루언서냐는 게 주요 잣대다.

이런 상황에서 진지하고 재미없는 내 SNS가

주목받을 리 없었다. 뭐부터, 어떻게 바꿔야 할지

막막했다. 특히 어투를 바꾸는 게 쉽지 않았다.

책이나 읽는 진지충의 말투를 센스 있고 유머가

가득한 작가로 보이게 하는 일은 에세이 쓰기보다

어려웠다. 나는 최대한 나답지 않은 문구와

표현들, '개잼', '존잼' 등을 남발 해가며 게시물을

올렸다. 책이 잘 팔린다면야.

물론 결과적으론 실패했다. 단기간에, 적성에도

재능에도 안 맞는 그런 글을 올려봤자 팔로워가

늘 리 없었다. 차라리 지인들에게 직접 책 판매

링크를 보내며, 청첩장 돌리듯, 구매 요청을 했던

게 더 도움이 됐다.

깨달은 게 있다면, 왜 그토록 사람들이 SNS에

목을 매는 지 알 수 있었다는 것. 기차가
달려오는 철로에서 한가롭게 커피를 마시고, 고층
빌딩을 맨손으로 오르며 인증 샷을 남기는 짓들을,
비로소 이해할 수 있었다. 그래야만 눈길을 끌 수
있었으니까.

나같이 어설프게 흉내만 내는 사람은 결코
SNS라는 세계에서 생존할 수 없었다.

■

나는 여전히 SNS를 한다. 게시물을 있어 보이게
만드는 건 포기했다. 그저 화려한 곳에서,
화려하게 찍은 친구들의 게시물을 감상한다.
그것들이야말로 그들이 자신의 인생에서 진정
드러내고 싶은 것, 보여주고 싶어 하는 것이라고
믿으며 남몰래 '좋아요'를 누른다. 그러니
누군가도 나처럼, 재미없는 진지충의 SNS를 보고
이렇게 생각해 주면 좋겠다. '애써 진지함을
드러내고 싶은 솔직한 사람'이라고.

작법서 읽기

글쓰기 슬럼프에 빠진 후 여러 '책 쓰기' 작법서를
찾아 읽었다. 지금의 답답하고 막막한 기분을
어떻게든 해결해야 했기 때문이다. 작법서
대부분은 서점 자기계발서 코너에 있었다. 누구는
몇 달 만에 책을 썼다, 누구는 하루 만에 책
쓰기도 가능했다는 둥 온통 독자들을 유혹하는
제목들이었다. 너나 할 것 없이 마음만 먹으면
누구든지, 빠르게 책을 쓸 수 있다고 했다.
평소 자기계발서를 좋아하지 않지만, 아무렴
상관없었다. 나도 그들처럼 큰 고민 없이 책을
뚝딱 찍어내는, 그런 사람이 되고 싶었다.
작법서들의 첫 장은 모두가 약속한 듯 '책을 써야
할 이유'에 대해 말하고 있었다. 책 쓰기를 통해
자기 혁명을 이룰 수 있고, 인생이 달라지고,
심지어는 부자가 될 수 있다고도 했다. 책 쓰기에
대한 효용성을 말하는 것이었다. 하지만 그것들은

다른 수많은 자기계발서처럼 자기 자랑에
불과했다. 나는 이렇게 성공(출판)했다, 너희들도
따라 하려면 따라 해보라는 식. 실패해도 내
책임은 아니고.

성공(출판)을 원하는 독자들은 그 자랑들을 참고
견뎌내야만, 다음 페이지를, 성공의 비법을
들여다볼 수 있었다.

사실 작법서를 집어든 사람에게 책을 써야 할
이유 같은 건 설명할 필요도 없다고 생각한다.
책은 읽는 사람이 계속 읽는 것처럼, 책 쓰기도
쓰는 사람만 쓴다. 이미 책 쓰기에 관한 책을
찾아볼 정도로 동기가 충분한데 굳이 왜 써야
하는 지, 두 번, 세 번, 열을 올릴 필요가 없다는
소리다. 작가가 책의 분량을 채우려거나, 정말
자기 자랑하려는 목적이 아니라면 말이다.

책을 내본 경험이 있는 내게는 더더욱 그런 말이
필요하지 않았다. 나는 나중엔 작법서들의 첫 장은
건너 뛰고 뒷장만 골라 읽기 시작했다.

결과적으로, 그들이 말하는 책 쓰기 기술도 별것
없었다. 책 쓰기라는 단어를 빼고 다이어트, 주식,
재테크로만 바꾸어도 말이 될 것 같았다. 책은

자기계발 원리들을 충실히 설명하는 데만 초점이
맞춰져 있었다. 어떻게든 책을 쓸 동기를 갖게
하고, 책상에 앉아 글을 쓰게 하고, 그 행위가
지속되도록 만드는 방법들이었다.

나의 이야기를 세상에 내놓는다는 것, 독자라는
정체불명의 사람들 앞에 드러내 보인다는 것,
그러면서도 서점 매대 위의 냉철한 선택을 받아야
한다는 것, 따위의 말은 없었다. 그저 최소
비용으로 최대 효율을 뽑아낼 방법으로서의 책
쓰기였다. 그것이야말로 진정 '자기 계발'을
원하는 독자들의 요구에 맞는 것일 테지만.
사람들은 인생에 한 번쯤 책을 써보고 싶다는
열망이 있고, 가능하면 그 일을 쉽고 빠르게
성취하길 원하니까. 나도 그랬고.

한편으로는 책 쓰기 자체가 어쩌면 크게 특별하지
않다는 생각도 들었다. 단순하게 말하면, 책이란
형식적으로는 여러 글을 모아둔 것일 뿐. 에세이는
자신의 감정을 담은 여러 개의 글을 묶어내면,
소설은 기승전결 구성에 맞춰 이야기를 쓰면 된다.
자기계발서의 관점에선 개인의 노력과 끈기만
필요할 뿐이다. 작법서들은 그것들을 유지할 수

있도록 당근과 채찍을 번갈아 주는 것이고.
어느 작법서는 저자의 첫 책이 바로 그 책인
경우도 있었다. 책 쓰는 법을 알려준다면서, 첫
책이 작법서라니. 도무지 신뢰가 가지 않았다.
책을 순순히 내준 출판사도 이해가 가지 않았다.

■

작법서를 비판하지만, 나 또한 그 저자들과 크게
다르지 않다. 첫 책을 내며 분량을 채우려고
에피소드에 덕지덕지 살을 붙였고, 특별하고
대단한 깨달음이 있는 것처럼 현란한 수식어로
문장을 꾸며 썼으니까.

따라 쓰기

글을 쓸 때 용기가 샘솟는 순간들이 있다. 어떤
글을 보며 "나도 이 정도는 쓸 수 있겠다"는
마음이 들 때다. 약간 이상하긴 해도 이 생각이
슬럼프에 빠진 나를 일으키는 힘이 됐다.
얼마 전 등산잡지 월간 〈산〉의 윤성중 기자를
알게 됐다. 특유의 대충 그린 듯한 B급
일러스트로 인기를 얻고 있었는데, 나는 그의
그림만큼 글에 눈길이 갔다. 그의 글은 좋게
말하면, 솔직, 담백, 참신하고, 나쁘게 말하면
맥락, 논리, 구성이 뒤떨어진 것처럼 보인다. 나는
후자의 것들을 중요하게 생각하던 신문사
기자였다. 그의 글이 처음엔 낯설게 느껴졌다.
윤 기자의 기사에는 쓰는 사람, 즉 화자(기자)가
본문에 등장한다. 화자는 글 속에서 '나'라는
이름으로 생각, 감정, 행동을 숨기지 않고
솔직하게 드러낸다. 일기나 에세이처럼 말이다.

기사 글에서 오랫동안, 지금도 '지양'하는
방식이었다. 기자수첩 같은 기명 칼럼에선 가끔
'필자'라는 이름으로 쓰지만, 이마저도 제한적이다.
그런데 그는 대놓고 본인을 나타낸다. 내가 아닌
상대가 더 드러나야 할 인터뷰 기사에서도 그렇다.
인터뷰이의 말을 일방적으로 듣고 기록하는 게
아니라, 상대와 대화를 하고, 그 표정, 몸짓, 심리
상태들을 낱낱이 그리고 주관적으로 담아낸다.
어찌 보면 인터뷰이가 주인공이 아니라, 기자가
주인공처럼 느껴질 정도다. 전통적인 인터뷰
기사로는 꽝이다. 그런데 이상하다. 계속 읽게
된다. 기사에 빠져들게 만든다. 고도의 글쓰기
전략인지는 모르겠으나, 마치 내가 기자의
입장에서 인터뷰이를 만난 것 같은 느낌마저 든다.
그의 칼럼 '등산시렁'도 비슷하다. 그는 애써 멋진
말을 써 가며 결말을 짓지 않는다. 그냥 갑자기
'툭'하는 느낌으로 글을 끝낸다. 글을 읽다가 다음
페이지가 있나 확인했던 적이 여러 번이다. 역시
기존의 글쓰기 방법대로라면, 완결성이 부족한
셈이다. 그런데 역시 재밌다. 독자들의 반응도
비슷한 것 같았다. 그의 기사에는 '재밌다',

'참신하다'는 댓글이 줄줄이 달려 있다. 사실
재미있다는 것 하나만으로도 그의 글의 가치는
차고 넘친다. 아무렴 기존의 기사처럼
논리정연하고 반듯해 봤자 재미가 없으면 요즘의
젊은 독자들에겐 소용없다. 아니, 소용은 있더라도
계속해서 읽게 하진 못한다. 글은 일단 흥미를
갖고 읽게 만드는 게 중요하다. 추측하건대, 그런
이유로 그의 상사, 데스크(언론사에서 윗사람)들은
윤 기자의 글을 크게 제지하지 않는 것일 테다.
재밌으면 그만이니까.
나는 그가 글을 어떻게 쓰는지 궁금했다. 정말
글에서 보이는 것처럼 자신의 마음대로 일필휘지로
써 내려가는지, 아니면 사실은 철저하게 의도하고
계산하고 쓰는 건지.
그의 몇 안 되는 인터뷰를 모조리 찾아봤다.
결론부터 말하면 인터뷰를 통해 그의 글쓰기
방법은 알 수 없었다. 다만, 내가 생각했던 것처럼
큰 고민 없이, 글을 휘갈겨 쓰진 않는 것 같았다.
그는 월간 〈산〉뿐 아니라, 오랫동안 여러 등산
잡지에서 경력이 있었다. 즉, 꾸준히 글을 쓰며
내공을 쌓았다는 뜻. 한 인터뷰에서 그는

"그림보단 기사 쓰는 게 훨씬 오래 걸린다"고
했다. 윤 기자 역시 글을 쓰는 데 고생깨나 하고
있다는 소리일 테다.

그의 가장 큰 특징은 형식에 구애받지 않고,
꾸밈없이 자기 자신을 드러낸다는 것. 나는 이제껏
그런 글을 써본 적 있나. 독자들의 관심이
없을지라도 스스로 솔직한 글을 써본 적 있나. 내
글이 과연 '이 정도'에 그치더라도 계속 써나갈
확신과 용기가 있나.

■

'나도 이 정도는 쓸 수 있겠다'는 생각은 어찌
보면 참 건방진 소리다. 글을 쉽게 쓰기가, 실은
가장 어렵다는 건 글쓰기의 오랜 정설이다. 하지만
이 생각이 다시 쓸 힘을 준 것도 사실이다.
살면서 조금은 건방져도 좋겠다는 생각도 든다.

편집자 찾기

내 글의 첫 번째 독자는 아내다. 오래전 출판사를
다녔던 경력도 그렇지만, 내 원고를 어떤
편집자보다 꼼꼼하게 봐주기 때문이다. 첫 책을 쓸
때도 아내에게 가장 먼저 보여줬다. 아내는 원고를
유심히 들여다보더니, "찌질해!"라고 총평을
내렸다. 성공이었다. 이 책은 최대한 찌질하게
보이려고 했으니까. 그렇지만, 그 말이 곧 'OK
사인'을 의미하는 건 아니었다. 아내는 책 속에서
도저히 받아들일 수 없는 부분을 하나 지적했다.
내가 초등학교 시절 바지에 대변 실수를 할 만큼
소심하다는 내용이었다. 우리는 그 부분을 놓고
첨예하게 대립했다. 나는 반드시 넣어야 한다고,
그래야 재밌을 것이라고 주장한 반면 아내는 이게
뭐가 재밌냐며, 더러운 건 고사하고 책에 이런 걸
넣으면 평생을 놀림 받게 될 것이라고 말했다.
최종 교열에 이르기까지 갑론을박했다. 그리고

(책을 보면 알겠지만) 결국은 넣기로 땅땅땅.
그래도 아내의 말을 십분 반영해 '똥과
오줌'이라고 쓰진 않고 '검고 누런 것들'이라고
순화해 썼다. 큭.

나는 요즘도 아내에게 글을 보여준다. 그럴 때마다
설레면서도 두렵다. 아내가 별다른 말이 없으면,
나쁘지 않다는 뜻. 조금만 이상한 내용이 오면
바로 코멘트를 날린다.

"어, 이건 좀 아니지 않아?"

■

최근 글쓰기 슬럼프에 빠졌을 때도 아내에게 먼저
도움을 요청했다. "여보, 나 글이 잘 안 써져"
그러자 아내는 의미심장한 말을 던졌다.
"뭐라도 할 수 있는 것 자체가 부럽다..."
(아내는 독박육아를 하고 있다) 그래서, 나는 이
글을 쓰며 아내에게 보여주지 않았다.
여보 미안해!

독자 설정하기

글 잘 쓰는 법은 모르지만, 적어도 편하게 쓰는
법은 몇 가지 알고 있다. 그중 하나가 '말하는
것처럼 쓰는 것'이다. 나는 글이 써지지 않을
때마다 머릿속으로 누군가에게 말을 건넨다.
'나 요즘 글쓰기 슬럼프에 빠졌는데 말이야'
'내 이야기 한번 들어볼래?'
이렇게 가상의 인물과 대화를 하고, 그 말들을
글로 다듬어 적는다. 그러면 꽤 잘 써진다. 하지만
써놓은 글을 보면 역시 잘 쓰려고 하는 방법은
아닌 것 같다. 내 글은 내 말처럼 특색이 없다.
손석희 앵커처럼 논리정연하거나, 김창욱 교수처럼
위트 있지 않다. 두루뭉술하고 애매모호하며,
하고자 하는 말이 명확하지 않다. 그저 누군가의
기분을 거스를까, 눈치를 보며, 말을 줄이고 끝을
흐린다. 그러면서도 말할 기회가 생기면 실제 내
모습보다 더 포장하고 꾸며 말한다.

게다가 나는 웬만하면 먼저 말하지 않고, 누군가의
말에 주로 대답한다. 그러다 보니 상대에게 말을
붙일 때, 글로 따지면 글을 시작할 때, 어색하고
서투르다. 어떤 말부터 해야 할지, 어떻게
이야기를 이어가야 할지 잘 모르겠다. 괜히 이
말을 꺼냈다가 상대가 싫어하면 어쩌지, 이상하게
보면 어쩌지 걱정만 한 가득이다.

글쓰기에선 예상 독자를 설정하는 게 중요하다고
한다. 동화 쓰기 수업을 들을 때 한 선생님은
초등학교 1학년과 2학년은 완전히 다르다고,
그러니 초등학교 1학년 남자아이, 2학년
여자아이처럼 독자를 최대한 구체적으로 설정해야
한다고 했다. 나는 성인이 되고 초등학교 1학년을
만나본 적도 없고 이야기 해본 적도 없었다.
구체적인 독자를 상상하기 어려웠다.
"본인의 초등학교 1학년 시절을 떠올리면서
써보세요"
그러자 선생님은 그 시절의 '나'를 생각하고
써보라고 했다. 과연 맞는 말이었다.
소심하고 특색 없는 말로 가득한 내 글을 보는

'아무개'를 떠올리긴 힘들다. 하지만 그게 나 자신이라면 어떨까. 친구가 많지 않고 사람들에게 먼저 말도 잘 못 붙이지만, 글쓰기를 즐겨하고 때로는 그것 때문에 힘들어하는 나는 구체적인 독자다. 그리고 그 독자는 지금, 언제나 작가인 나와 붙어 있다.

나는 요즘도 말하듯 쓴다. 그리고 그 대상은 나 자신이다. 무슨 말부터 꺼내야 할지, 무슨 이야기로 이어갈지 걱정하지 않는다. 나라는 독자는 무슨 이야기든 진심을 다해 들어줄 것을 알기에, 꾸밈없이 거짓 없이 술술 털어놓는다.

"나 있잖아. 첫 책을 쓰고 난 이후 글쓰기가 너무 힘들어졌어. 왜? 너무 잘 쓰려고 하는 거 아니야? 아니, 잘 쓰고 싶은 당연한 거지, 그렇지 않은 사람이 있어? 그렇지. 그렇지만 그것 때문에 글을 못 쓰면 더 힘들어지잖아. 알아. 근데 이게 말처럼 쉽지 않아, 내 마음을 스위치 누르듯 바꿀 수 없다니까. 맞아, 나도 그런 경우가 많아. 그래? 너도 자주 그래? 내가 이상한 건 아니지? 응,

그럼. 너는 이미 책을 냈잖아. 더 부담되고
어려워졌을 것 같아. 사람들 기대도 있고. 맞아,
난 베스트셀러 작가도 아닌데, 좀 오버하는 걸까?
에이, 그런 생각하지 마. 베스트셀러작가든
무명이든 글을 쓰면 누구나 작가야. 남이 책을
사든 말든 그건 중요하지 않아. 너 자신에게
솔직하고 떳떳하면 됐어. 정말 그렇지? 내가
잘못한 거 아니지?"

문체 만들기 1

김훈 작가 "나는"
: 그는 말할 때마다 '나는'이라는 주어를 자주 붙인다. '저는'이라고도 하지 않는다. 글에 쓰는 문어체를 말할 때도 쓰는 것이다. 그 말 습관이 굉장히 독특하게 느껴졌다. 어느 인터뷰에서 그 이유에 대해 짐작할 수 있었다.

"나는 내 글로 여론을 형성하는 데 기여해야겠다는 목표나 그런 허영심을 갖고 있지 않아요. 나는 그럼 왜 글을 쓰느냐. 나는 오직 나 자신을 표현하기 위한 목적이 있어요. 나 자신의 진실, 나의 슬픔과 고통과 기쁨과 내가 느끼는 아름다움과 추함, 내가 느끼는 악과 억압, 이런 것들을 표현하고자 하는 목적이 있고, 또 하나의 소망은, 내가 나의 진실을 표현함으로써 그것을 남에게 이해받고 싶은 소망은 있어요, 사실은.

그것이 이해받지 못한다면 그 또한 할 수 없는
일이라고 생각해요. 우선 나를 정확하고 과장 없이
표현해야 된다, 이것이 나의 중요한 목적이죠"
_2015년 10월 8일 JTBC 뉴스룸 인터뷰에서

그에게 글쓰기는 오직 자기표현의 수단이다. 남의
눈치를 보지 않고, 나를 얼마나 정확하고 충실하게
드러내는 지가 글의 목적이다. '나'라는 주어를
습관적으로 붙여 쓰는 이유일 것이다.

'나는', '나도', 그와 같이 정직하게 쓰고 싶다.

■

전직 대통령 J는 대중 앞에서 연설을 할 때마다
자신을 '본인'이라고 했다. 역시 문어체다. 김훈
작가와 J의 차이는 무엇일까. 한쪽에선 자기
행동에 책임을 지려는 어른의 태도가, 다른
한쪽에선 책임 없이 권력을 부리려는 늙은이의
태도가 느껴진다.

리뷰 읽기

"너 정말 이 정도로 소심했냐"
첫 책이 출간되고, 주변 사람들에게 여러 말을
들었다. 다행히 재밌다는 반응이 많았다. 부모님도
책을 보셨는데, 반응은 다른 사람들과 달랐다.
특히 아버지가 그랬다. 아버지는 책을 받은 그날
새벽에 다 읽었다고 했다. 그리고 꽤 놀랐다고
했다. 내성적인 것은 알고 있었지만, 과연 이
정도였냐며.
나는 아버지께 '좀 과장한 거죠'라고 대수롭지
않은 듯 답했다. 그의 속마음이 궁금하긴 했지만,
부끄러웠다. 나중에야 아버지가 블로그에 직접 쓴
감상평을 볼 수 있었다.

오늘 새벽에 일어나 단숨에 읽었습니다
가족 이야기도 있고 아빠 이야기도 있고
기자 생활하면서 힘들었던 삶에 대하여

써놓았습니다

읽고 나서 두 가지 감정이 교차합니다

한가지는

언제인가 글을 쓰는 사람이 되고 싶고 지금은

작고하신 이외수님의 문하생이 되고 싶다고 했을

때 단칼에 잘라버렸던 미안함입니다

그때 좀 더 깊이 생각해 보고 아들의 의견을

존중해 주었으면 하는 아쉬움 입니다

그때는 둘째 아들이 글재주가 있는지 몰랐을

때입니다

오히려 큰 아들이 글재주가 더 돋보일 때였습니다

두 번째는

격세지감을 많이 느낍니다

우리 때는 '천직'이라는 이야기를 많이 했습니다

하는 일이 아무리 힘들어도 천직이라고 생각하고

죽으나 사나 가족들을 위해 몸이 부서져라 일

했습니다

나만해도 힘들고 어려운 군인이라는 직업을

천직으로 알고 41년 6개월을 군복을 입었습니다

세상은 너무 빠른 속도로 변했습니다

나도 변화하는 세상에 잘 적응 하는 사람이

성공하는 사람이라고 나의 부하들에게
가르쳤습니다

둘째 아들이 글 쓰는 것은 좋아하고 재주가
있지만 취재 경쟁이 전쟁인 기자 생활은 적성에
맞지 않아서 무척이나 힘들었나 봅니다
고등학생 때부터 부모 곁을 떠나 객지 생활을
했습니다. 군인의 자녀로 수시로 전국적으로
이사를 다녀 학교도 수없이 전학 다니며 변변한
친구 한 명 없는 듯합니다

요즘 젊은이들 중에 돈에 구애받지 않고 최소한의
경제적인 욕구만 충족시키며 자기들의 행복을
추구하며 사는 사람들이 많아 보입니다
나의 사랑하는 아들들도 이제라도 하고 싶은 것
하고 살았으면 하는 바램입니다

22. 12. 05. 월. 맑음

마음이 찡했다. 남들에겐 어떻게든 재밌어
보이려고 쓴 책인데, 아버지는 아들의 다친 마음에
더 눈길이 갔구나, 소심한 아들이 적성에도 맞지
않는 일로 고초를 겪는 고생담으로 읽혔구나.

세상에 내 편을 들어줄 단 한 사람만 있어도,
사람은 죽지 않는다고 한다. 나는 아버지라는
독자의 리뷰를 보면서, 세상에 내 이야기를 들어줄
단 한 사람, 내 책을 진심으로 읽어줄 단 한
사람만 있으면, 글쓰기를 포기하지 않고 살 수
있겠다고 생각했다.

2부

동기 찾기

글을 쓰기 싫을 땐 글쓰기 강의를 듣는다. 동기
부여나 자극이 될까 싶어서다. 이제껏 시를
시작으로, 웹소설, 동화, 에세이, 기사까지. 다양한
장르만큼 많은 수업을 들었다. 그때마다 상상 속
시인이 됐다가, 동화작가가 됐고, 잘 나가는
웹소설 작가가 됐다. 하지만 그 수업들을 통해
이뤄낸 건 없었다. 강의 소개란에는 '이 수업을
듣고 작가가 된 수강생 명단'이 있었는데, '강의를
듣고도 작가가 되지 못한 명단'이 있다면
어디에서든 내 이름을 발견할 수 있을 것 같았다.
나는 수업이 모두 끝나면 언제 그랬냐는 듯 글을
쓰지 않았다. 그러면 또다시 새로운 수업을 찾아
이곳저곳을 들락거리고.
수많은 글쓰기 강의를 들으며, 실은 글쓰기가
얼마나 어렵고, 힘든 일인지를 스스로 설득하고
있었던 것 같다. 누군가 '너 글 쓴다고 하지

않았냐'고 물어보면, '네가 글쓰기를 알기나 해?
그게 얼마나 어려운 일인데!'라고 괜히
발끈하면서. 사실은 글을 쓰지 않는 나를
합리화면서.

언젠가 후배 기자 C에게 물어 본 적이 있다.

"야, 만약에 너한테 신문 지면이 주어져서
아무거나 네 맘대로 쓸 수 있다고 하면, 뭘 쓸래?"

그러자 C가 답했다.

"그러면 그냥 안 쓸래요. 전 글쓰기 말고
여행이나 다니고 싶은데요"

순간, 많은 생각이 들었다. 그래 맞아. 사실
글쓰기만큼 투자 대비 결과가 안 나오는 것도
없는데, 난 왜 이걸 못해서 안달이 나 있지. 사실
쓰기도 귀찮고 하기 싫어하잖아? 그럼 그냥 다
내팽개치고 안 쓰면 되지, 왜 붙들고 있는 거야?
돈도 안 되는(되더라도 허리 치료에 쓴 병원비가
더 많은데), 이 짓을 굳이 억지 동기를 부여해
가며 왜 하려고 하지? 그냥 글 따윈 저버리고
여행이나 다니면 안 될까. 도대체 왜?

곰곰이 생각해봤지만, 아직 이렇다 할 해답은 못

찾았다. 정말 모르겠다. 그냥 안 쓰면 안 될 것
같아서. 그냥 계속 쓰고 싶어서. 그냥 그래야만 될
것 같아서. 쓴다. 정말, 정말 쓰기 싫지만.

글감 찾기

어릴 적부터 오래도록 이어온 취미가 없다. 운동, 영화 감상, 여행, 등산, 심지어는 중독성이 문제라는 게임조차도 며칠 하다 보면 금세 지루해져 삭제해 버렸다. 그나마 꾸준히 했던 건 글쓰기가 유일한데, 이제는 그걸로 고통을 받고 있으니, 취미라고 보기엔 어렵다. 그 흔한 독서도 내겐 글쓰기를 위한 하나의 수단에 가깝다. 책을 좋아하긴 하지만, 책 없이도 평생 살 수 있다. 글을 쓰면서 항상 스스로 불만이었다. 나는 왜 변변한 취미 하나 없을까. 그래서 이렇게도 쓸 거리가 없을까. 에세이 '아무튼' 시리즈만 봐도 피트니스, 쇼핑, 바이크, 뜨개질 등 세상엔 취미를 갖고 있는 이들의 천지인데, 그리고 그것을 소재로 술술 글을 써내고 있는데. 왜 나만 없을까. 나도 이김에 특별한 취미를 가져볼까도 생각했다. 하지만 글을 쓰려고 진정성 없는 취미를 가졌다간

독자들에게 들통날 게 빤하다는 생각이 들어
일찌감치 마음을 접었다.

한때는 양치질을 소재로 글을 쓴 적도 있다.
취미는 아닐지라도, 내가 매일 꾸준히 하는 걸
소재로 글을 쓰겠다는 심산이었다. 양치질이야말로
34년간 이어온 행위이자 앞으로도 죽을 때까지
지속할 일이다. 글을 쓰다 보면 그 긴 세월
이어온 양치질에 대한 가벼운 철학 정도는 담을
수 있지 않을까, 싶었다. 네이버에 '양치질'
블로그를 만들고 매일 사용한 칫솔과 치약의
종류를 기록했다. 하지만 매일 하지 않는
양치질처럼 이 역시 오래가지 못했다. 우선 양치질
자체가 매우 귀찮았다. 또 매일 같은 배경에
똑같은 칫솔, 치약을 쓰니 별 내용이 없었다. 사실
양치질에 무슨 철학이 있겠나. 그저 충치와 구취가
생기지 않도록 막는 것일 뿐. 수백 개의 칫솔과
치약을 모으는 '양치 덕후'가 아닌 이상, 양치질을
가지고 지속적인 글감을 만들 수 없었다.

지금은 더 이상의 취미 찾기를 그만둔 상태다.
그림 그리기, 넷플릭스 영화 보기, 시사 팟캐스트

듣기가 그나마 유일한 취미다. 그러나 마음
한편에는 언젠가 운명처럼 만날 새 취미를
기다리고 있다. 글감이 될 만한 취미라면
좋겠지만, 그렇지 않더라도 좋다. 그저 뭔가에 푹
빠지기만 하더라도 좋겠다.

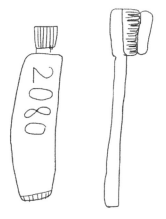

빨리 쓰기

글을 빨리 쓰는 게 꼭 좋을까. 글 잘 쓰는 법을
찾다 보면 빠지지 않고 등장하는 말이 있다. '글은
최대한 빠르게 쓰는 것이 좋다'는 말이다.
오래도록 자체 실험한 결과, 그 말에 딱 절반만
동의한다. 이유는 간단하다. 천천히 써야 더 잘
써졌기 때문이다. 빨리 쓰라는 주장의 원리는
이렇다. 천천히 쓰다 보면, 완벽주의에 빠져 결국
글을 완성하지 못할 가능성이 높다는 것. 그러니
떠오르는 생각이 날아가기 전에 재빨리 써서
붙잡아야 한다고 했다. 하지만 만약 글을 쓰는
목적이 내 생각을 온전하고 솔직히 담아내는
것이라면? 순식간에 떠올랐다가 사라지는 생각은
처음부터 내 것이 아니었다면?
류시화 작가의 책 〈지구별 여행자〉에는 이런
에피소드가 나온다. 그는 인도 여행을 다닐 때
보고 느낀 것들을 최대한 꼼꼼히 기록했다. 훗날

글을 쓸 때 잊어버리지 않기 위해서였다. 어느 날, 그 모습을 유심히 지켜보던 한 노인이 말했다.

"당신이 만일 진정한 작가라면, 자신이 경험한 것만을 글로 써야 할 것이오"

"당신 자신이 진정으로 경험한 것이라면 결코 잊어버리지 않을 것이오. 그것들은 굳이 종이 위에 적어 놓을 필요가 없소. 왜냐하면 그것들은 당신의 가슴속에 새겨지기 때문이오"

인상적인 경험이라면 굳이 메모할 필요가 없다는 뜻이었다. 나는 노인의 말에 꽤 공감했다. 그의 말처럼 내 가슴에 새겨진 기억을 글에 담아내고자 한다면, 한낱 메모가 중요할까. 그러니까 순간적인 생각을 붙잡으려는 '빨리 쓰기'보다 생각을 곱씹어 쓰는 '천천히 쓰기'가 더 낫지 않을까. 사금을 채취하는 것처럼 시간을 두고 가벼운 생각을 흘려보내고, 무겁게 가라앉은 생각이 천천히 떠오르도록 해야 하지 않을까.

요즘의 나는 마감이 있는 글이 아니면 애써 천천히 쓰려고 노력한다. 그래봤자 급한 내 성격상 아마 남들과 비슷한 속도일 것이다. 그럴 땐 일부러 독수리 타법을 쓰기도 한다. 열 손가락은 너무 빠르니, 두 개의 손가락으로 속도를 늦추는 거다. 그러면 확실히 천천히 쓸 수 있다. 글을 천천히 쓰다 보면, 새로운 생각이 든다. 빨리 쓸 때 습관적으로 나오던 익숙한 생각들, 어디선가, 누군가에게서 주워들은 말, 있어 보이는 말들이 자연스럽게 걸러지곤 한다.

'아, 이건 내 생각이 아니잖아'
'이건 좀 솔직하지 못한 생각이잖아'

형식 깨기

이제껏 수많은 좌우명을 만들고 살았다. 고3 시절,
조엘 오스틴 목사의 〈긍정의 힘〉을 읽고,
'긍정적인 생각 하나면, 이 세상에 못 할 것이
없다!'는 문구를 좌우명으로 삼았다(실제 조엘
오스틴은 긍정적 생각으로 엄청난 돈과 명예를
얻을 수 있다고 주장했다). 나는 모두가 잠든 새벽
그 문구를 포스트잇에 적어 큰 소리로 읽곤 했다.
작고 조그맣게 말했다간, 긍정의 기운이 떨어질 것
같아, 주변 눈치를 보면서도 크고 또렷하게
말했다.
"나는 20XX년까지 XX대 의대에 진학하겠다!"
그 말대로 정말 의대에 갈 수 있었다면,
좋았겠지만, 현실은 처참했다. 차라리 그 시간에
공부를 했어야 했다. 의대에 가긴 커녕, 고3 내내
수학 6등급을 벗어나지 못한 수포자에 불과했다.
그럴 때마다 문구를 더 크게 외치지 않은

탓이라고 생각했다. 현실 부정이자, 도피였다.

입시 실패 후 도망치듯 군대에 입대했다. 좌우명은 힘든 상황에서만 만들어지는 지, 새로운 문구가 가슴팍에 꽂혔다. 군대 벽면에 걸려 있던 '나를 죽이지 못하는 고통은, 나를 강하게 만든다'는 문구였다(사실은 철학자 니체의 말). 다행히 이 문구는 꽤 효과가 있었다. 힘든 군 생활의 고통이 좀 덜어지는 것 같았다.

'지금 힘든 것은 정신력이 부족하기 때문이야'

'아직 이 고통은 나를 죽이진 못해!'

훈련 내내 그 말을 떠올리며 참고 버텼다. 그러나 끝내 그 고통은 나를 죽였다. 나는 행군 중 무릎 인대가 파열됐는데도 무식하게 참고 걷다가, 나머지 훈련도 못 받고 '설거지 병'으로 낙오했다. 그 이후로 오랫동안 좌우명을 만들지 않았다.

다시금 그 비슷한 걸 만들게 된 계기는 글로 밥을 먹고 살게 되면서다. 지금껏 갖고 있는 것으로, '형식보다 내용'이라는 말이다. 기자 시절, 기사의 글자 수를 똑같이 맞추고, 겉보기에만 번지르르한 수식어들로 가득 채웠다. 내용은 뒷전이고 형식에만 집착했던 그 습관을 고치려고 만든 것이다.

에세이를 쓰는 지금도 가끔 옛 습관이 나온다. 그럴 때마다 '형식보다 내용'을 외우고 또 외운다. 독자들이 바라는 건 억지로 만든 화려한 문장이 아니라고, 서툴러도 진솔한 이야기라고 여기면서 말이다. 그래도 자꾸 까먹는 걸 보니, 이 좌우명은 꽤 오래 살아남을 것 같다.

감성적인 글 쓰기

초등학교 시절, 독후감 대회 수상작이 발표된
날이었다. 민지라는 애가 금상이었다. 리처드
바크의 〈갈매기의 꿈〉을 읽고 쓴 독후감이었는데,
첫 문장이 이렇게 시작했던 걸로 기억한다.
'파아란 하늘 위로 유유히 흘러가는 구름을 보던
조나단은 깊은 생각에 잠겼다.'
나는 당시 이 문장을 보고 얼마나 놀랐는지
모른다. 독후감을 이렇게 감성적으로 쓰다니,
이렇게 써야 상을 받을 수 있는 것이라니.
그즈음 내가 쓰는 문장은 대충 이랬다.
'갈매기의 꿈은 리처드 바크가 쓴 소설이다.
1970년 미국에서 발표됐으며, 프랑스의 소설가
생텍쥐페리처럼 전직 비행사였던 작가가 비행에
대한 꿈과 신념을 실현하고자 끝없이 노력하는
갈매기 조나단 리빙스턴의 일생을 통해 모든
존재의 초월적 능력을 일깨운 우화형식의 신비주의

소설이다'_ 네이버 지식백과

책 가장 뒷장에 있는 옮긴이의 말을 그대로 베껴 쓴 글이었다. 당연히 상을 받을 리 없었다. 민지의 글을 보고 큰 충격에 빠진 나는 그다음부터는 그 애의 글과 비슷하게 썼다.

〈메밀꽃 필 무렵〉 독후감을 쓸 때는 '나비가 찾아드는 따스한 날이었습니다. 우연히 메밀꽃 밭을 지나던'이라고, 〈소나기〉를 쓸 때는 '갑작스런 비가 쏟아지는 날이었습니다. 소년의 마음은 축축하게 젖어 있었습니다'라고, 갖은 수식어를 붙여 썼다. 효과는 좋았다. 그 이후로 독후감 대회에 민지와 함께 수상자로 올랐기 때문이다.

요즘 SNS를 보면 감성적인 문구들을 모은 계정들이 인기를 끌고 있다. '비가 내린다, 오늘도 네 생각에 눈물이 뚝뚝 떨어진다'는 식이다. 내가 보기엔 크게 특별할 것 없는 글들이다. 하지만 독자들의 반응은 달랐다. '좋아요'는 물론이고 공감된다는 댓글로 가득하다.

이게 답인가? 독자들은 과연 이런 글을 좋아하는 걸까? 이래야만 베스트셀러 작가가 될 수 있는 것인가? 정말! 정말? 정말...

얼마 전엔 나도 감성 글을 써봤다. 오늘은 하늘에
뜬 구름이 너를 닮았어... 아, 하지만 아무래도
오글거려서 더 이상 이어 나갈 수 없었다. 초고는
어떻게든 썼다고 해도, 퇴고가 안 됐다. 도저히
다시 볼 자신이 없었다. 으으.

■

첫 책을 내기 전, 타로점을 봤다. 신내림까지
받았다는 타로 선생님은 예약 대기만 한 달이
걸리는 용한 점쟁이었다. 나는 곧장 물었다.
"제 책이 잘 될까요?"
"글쎄, 지금 쓰고 있는 건 크게 안 될 것 같고.
그거 왜 있지? 요즘 유행하는 감성 글,
자기한테는 그런 부드러운 글이 어울려. 그래야
대박 나!"
초면부터 반말을 날리는 게 마음에 안 들었지만,
역시 소문난 데는 이유가 있었다. 신내림든 뭐든
그는 요즘 책의 트렌드를 꿰뚫고 있었다. 당시의
나는 감성과는 아무 상관없는 B급 유머와
시시껄렁한 농담으로 가득 한 글을 쓰고 있었고.
첫 책이 망하고, 타로 선생님의 말을 떠올려봤다.
그의 말대로 감성 글을 썼다면 대박이 났을까.
아니다. 아무렴 적성에도 안 맞는 장르로 책 한
권을 내는 노력이라면, 무슨 일이든 성공하겠지.
아, 모르겠다. 정말.

기사 쓰기

글을 잘 쓰거나, 최소한 글쓰기를 좋아하는 사람이
기자를 직업으로 삼는다. 나도 그런 편에 속했다.
학창 시절 글쓰기로 상을 꽤 탔고, 글쓰기로
지금껏 먹고살고 있는 걸 보면 글쓰기를
즐겨한다고도 말할 수 있었다.
그렇다고 한 치의 망설임 없이 기자를 시작했던
건 아니다. 낯을 많이 가리고 내성적인 성격에
주변에서 기자해보라는 권유라도 받으면, 애써
모른 척 했다. 내심 기자란 직업이 어떨지
궁금하고, 영화나 드라마에서처럼 재밌을 것
같기도 했지만, 괜히 마음에 품었다간 정말 하고
싶어질지도 모를까, 겁이 나서였다. 그때까지 내가
본 기자의 이미지는 수많은 사람들 앞에서 손을
들고 질문을 해야 하는 직업이었다(실제로는
그렇지 않지만).
내가 기자가 된다면, 분명 그런 상황에서 이리저리

눈치만 보며 주저하다가 아무 말도 못 할 것
같았다. 자괴감에 시달리면서 말이다.
대학 졸업을 앞두고 진로를 고민하던 때였다.
CC였던 B가 학교 취업 홈페이지에 뜬 모 신문사
인턴기자 모집공고 링크를 보냈다. 나는 그때까지
시인이 될 거라며, 학점 관리는커녕 토익 점수나,
컴퓨터 자격증도 없었다. 심지어는 운전면허도
없었다. 반면 B는 철저한 학점관리는 물론 해외
봉사활동, 인턴쉽까지 갔다 오며 취업 준비에
열심이었다. 그녀는 나를 강력하게 밀어 붙였다.
'이거 안 하면 헤어질 생각해'라며 협박 아닌
협박을 했다. 그 등쌀에 못 이겨 결국 이력서를
쓰고 면접을 보고 출근까지 하게 됐다.

기자 생활은 힘들었다. 5년간의 생활 속에 남은
건 자책, 미련, 후회, 분노. 그리고 훗날 첫 책에
들어간 에피소드들 뿐이었다. 취재기자를 할 땐
특종은커녕 매일 기사 아이템을 찾는 데 허덕였고,
편집기자를 할 땐 네이버에 남의 기사제목을
검색해보며 겨우 제목을 뽑아냈다. 그저 '기자'인
척 흉내만 냈다. 내 기사를 몰래 찾아보던 부모님

앞에서만 그럴싸한 무용담만 늘어놓고.

사실, 기자에게 글쓰기 능력은 그렇게 중요한 것 같지도 않다. 이제껏 많은 기자 선배와 후배들을 보면서 느꼈다. 글쓰기를 잘하는 사람보다, 적극적이고 외향적인 성격에 '워라밸'을 포기할 정도로 일 욕심이 많은 사람이 성과를 냈다.

나는 오랫동안 직업을 고를 때 '좋아하는 일'과 '잘하는 일' 사이에서 고민했다. 그리고 글쓰기는 모두에 걸친 최적의 일이라고 생각해 왔다. 그러나 기자를 하며 깨달았다. 글쓰기는 내가 진정 좋아하는 일도 잘하는 일도 아니라는 것을.

글로 먹고사는 지금, 글쓰기는 '꾸준히 하고 싶은 일'이다. 좋아하지도, 잘하지도 않지만, 좋아하고 싶고, 잘하고 싶은 일이다. 꾸준히 하다 보면, 잘하고, 좋아할 수도 있는 희망이 있는 일이다.

편지 쓰기

이제껏 수많은 글을 썼다. 그림일기, 독후감,
대학교 리포트, 군대의 수양록, 신문 기사 등등.
그것들 대부분은 선생님이, 교수님이, 군대
선임이, 회사 사장이 시켜서 어쩔 수 없이 쓴
글이었다. 순수하게, 누구의 요구나 요청 없이
썼던 글은 편지글이었다.

편지를 자주 쓴 건 군대 시절이었다. 받는 사람은
주로 부모님이었지만, 기억에 남는 한 사람이 더
있었다. 중학교 시절 함께 교회를 다니던 C였다.
성가대 메인 보컬이었던 C는 붙임성이 좋고 항상
웃는 얼굴로 사람들에게 인기가 많았다. 나도 그런
C에게 호감을 갖고 있었다. 그 아이도 내가 싫지
않았는지, 시간이 지나며 우린 점점 친한 사이가
됐다. 밤새 문자도 주고받고, 아주 가끔은 전화도
했다. 그렇게 관계가 깊어져 가던 어느 날, 그
아이는 대뜸 내게 고백을 했다. 이성 친구로

사귀자는 말이었다. 하지만 나는 그 고백을 받지
않았다. 아니, 못했다. '교회 내에서 이성 친구를
사귀지 말라'던 보수적인 목사님의 질책이
두렵기도 했지만, 중학생의 나는 누군가를
사귄다는 걸 상상할 수 없을 만큼 소심했기
때문이었다. 결국 고백은 거절했고, 그 이후로
C와의 사이는 자연스레 멀어졌다. 나중엔 내가
이사를 가며 그 아이와는 더 이상 마주칠 일도
없는 사이가 됐다. 다시 연락하게 된 건 의외로
내가 군인이었을 때다. 먼저 연락한 것은
아니었다. 일병 휴가를 나갔을 때, 함께 교회를
다니던 형의 주선으로 다시 만나게 된 것이었다.
성인이 되어 만난 C는 중학교 시절 그대로였다.
선한 표정에 무슨 이야기를 하던(재미없는 군대
이야기에도) 잘 웃어줬다. 모처럼 즐거운
시간이었다.
나는 부대에 복귀해서도 그 아이와 이야기하고
싶었다. 어차피 군대에서 남아도는 게 시간이었다.
오래도록 묵혀있던 편지지를 꺼냈다. 모두가 잠든
새벽에 남몰래 편지를 썼다. '여기는 눈이 많이
내렸어. 네가 있는 곳은 어떠니?'라고 시작하는

글이었다. 그 오그라드는 편지를 몇 통이나
부쳤는지는 모르겠다. 확실한 건 그 아이에게서 단
한 통의 답장도 받지 못했다는 것. 그리고 다음
휴가에서도, 전역 후에도 그 아이를 다시 보지
못했다는 것. 세월이 지난 지금, 그 애를 다시
보고 싶거나 생각나진 않는다. 다만 그때의 편지가
유독 떠오른다. 눈이 펑펑 내리던 부대 막사
안에서 꾸깃꾸깃해진 분홍색 편지지에 한 자 한
자 적던 글들. 글쓰기로 벌어 먹고사는 지금은,
문득 순수한 글을 썼던 그 시절의 내가 그립다.
혹 그 편지를 아직 갖고 있다면, 다시
돌려주겠니?

시 쓰기

대학 시절 꿈은 시인이었다. 우연히 도서관에서 본
오철수 시인의 작법서 '시가 되는 체험은 따로
있다'를 읽고 나서였다. 그 책은 시의 운율과
형태, 장르 등을 일일이 설명하는 딱딱한 책이
아니었다. 시골학교 선생님이 학생들에게 조곤조곤
일러주듯 한 편의 시를 놓고 시인의 생각과 그
배경에 대해 풀어 설명해줬다. 나는 그 책을 보고,
아니 정확히는 책에 담긴 시의 해설을 보고
감동했다. 한 토막도 안 되는 짧은 시 한 편에도
이렇게 많은 생각과 철학이 담겼다니. 오철수
시인의 책은 말 그대로 시 쓰는 법을 알려주는
작법서였지만, 나에겐 시를 처음으로 알게 해준
시작법이기도 했다.
아르바이트를 하며 없는 돈을 모아 시를 배우러
다녔다. 신촌에 있는 한겨레교육문화센터에 갔다.
그곳에서 김근 선생님을 만났다. 내가 선생님을

처음 만난 게 2011년쯤이었으니, 선생님은
지금까지도 최소 10년이 넘게 강의하고 있다.
강의에서 만난 선생님은 날 예뻐라 해줬다. 나중엔
새로운 수강생들에게 그 애정(?)을 빼앗겼지만,
처음 만났던 당시에는 나에게 유독 애정을 쏟는
게 느껴졌다. 헝클어진 파마머리에 싸구려 피어싱,
검은 뿔테 안경으로 꾸민 내 외모가 시인들의
그것과 비슷해서였는지 모른다. 아무튼 내가 쓴
시는 누가 봐도 구렸지만, 강의 내내 선생님에게
가능성을 인정받았다.

선생님의 작법 강의는 독특했다. 언뜻 보면 딱히
알려주는 게 없었다. 그저 "시를 재밌게 써야
한다"는 말뿐이었다. 어떻게 재밌게 쓰냐고
물어보면 "그냥 막 써"라고 한 마디를 더할
뿐이었다. 그런데 이상하게도 그 말을 듣고 나는
점점 더 시에 빠져들게 됐다. 수업, 공간 시간은
물론이고, 아르바이트를 하면서도 시만을
생각했다. 시를 어떻게 하면 재밌게 쓸지
고민했다. 당시 사귀던 여자친구에게 시를 써야
한다며, 데이트 약속을 거절하기도 했다(후회하고
있다). 하지만 그렇게 시를 써가도 선생님은

"재미없어, 더 재밌게 써봐"라는 말만 되풀이했다. 구체적으로 뭐가 재미없고 별로인지 이야기를 하지 않았다.

나중엔 결국 시 쓰기를 그만두게 됐다. 선생님 때문은 아니었다. 그즈음 나는 시 자체의 즐거움을 잃어가고 있었다. 언젠가부터 시 보다, 쓰는 행위, 그러니까 시 자체를 즐기진 않고 내가 쓴 시로 남에게 인정을 받는 데만 치중했다. 그렇다고 시를 열심히 썼냐고 하면, 그것도 아니었다. 그건 힘들고 지루한 일이니까. 남의 시를 내 멋대로 평가하고 비난하기 바빴다. 질투였으며 열등감이었다. 그러는 동안 시를 쓰지 않고, 결국 수업에 나가지 않았다. 선생님에겐 비싼 수강료 때문이라는 거짓 핑계를 대고 말이다.

이제는 시는 없고 선생님에 대한 기억만 남았다. 수강료 20만 원이 없어서 수업을 못 듣는다고 했을 때, 다른 수강생들한테 말하지 말고 몰래 들으라고 했던, 강의가 끝나고 술자리에 모여 소주병에 숟가락을 끼워 노래를 불렀던, 시, 시, 시에 관해 이야기하며 날을 지새웠던 기억은 선생님이 아니면 쌓을 수 없었던 추억이다.

■

"시를 이렇게 그만두면, 이 근처를 유령처럼
맴돌게 될 거야" 시 수업을 그만둘 때 선생님이
해준 말이었다. 나는 그 말대로 오래도록 시
근처를 서성였다. 작년에는 다시 선생님의 강의
들었다. 하지만 옛 인연을 다시 만난
반가움뿐이었다. 시가 더 이상 재밌게 느껴지지
않았다. 이제 유령은 사라졌다.

문체 만들기 2

손석희 앵커 "잘 모르겠습니다"

: 손석희 앵커는 MBC 100분 토론을 진행할 때 중립적인 태도를 지키기로 유명했다. 패널로 자주 등장했던 홍준표 대구시장의 말에 따르면 그는 토론하는 패널들과는 술도, 밥도 같이 하지 않았다고 한다. 뉴스를 볼 때마다 손 앵커는 어떤 정치적 판단을 요하는 질문이나, 문제가 될 수 있는 말에는 항상 "모르겠다"고 말하는 습관이 있었다. 요즘은 어떤 사람에게든 그 말을 들어본 지가 꽤 오래됐는데, 그는 이 말을 자주, 그것도 당당하게 말하곤 했다.

그가 진행했던 JTBC 뉴스룸의 수요 문화초대석을 눈여겨봤다. 어느 날 김혜자 배우가 출연해 손석희 앵커에게 "깍쟁이 같다"고 말했다. 역시 그에게 모르겠다는 말을 듣고 나서였다. 국어사전에는 깍쟁이를 '행동이나 말이 얄밉도록 약삭

빠른 사람'이라고 정의했다.

그가 '기회주의자'가 아닌 '깍쟁이'라는 낡은
표현으로 불리는 것은, 이제는 보기 힘든 공정과
균형의 자세를 갖고 있기 때문일 것이다.

3부

분량 만들기

글쓰기에서 질보다 중요한 게 양이라고 믿는다. 못 쓰더라도, 계속해서 쓰다 보면 그중에 얻어걸리는 괜찮은 글이 있다는 이야기다. 그러나 질 좋은 글을 쓰는 것만큼, 글을 많이 쓰는 것도 쉬운 일은 아니다. 〈젊은 ADHD의 슬픔〉을 쓴 정지음 작가는 쓸 말이 하도 많아서 쓸 거리가 떨어질 걱정이 없다고 했다. 정말, 그 사실 자체만으로도 위대한 작가라고 생각한다. 나는 두 눈을 부릅뜨고 글감을 찾아도 없을 때가 부지기수다. 대개 글감은 기다리고 기다리다 봇물 터지듯 한 번에 밀려오는데, 그렇다고 가만히 앉아서 그 타이밍만을 기다릴 수 없다. 쓰다 만 글도, 못 쓴 글도 다시 쓰고, 더해서 양을 채워야 한다. 분량에 대한 불안과 염려는 글쓰기 스타일에도 영향을 준다. 어떤 글을 쓸 땐 항상 얼마나, 어느 정도 써야하는지 묻고 고민한다. 첫 책의 편집자는

"분량 상관하지 말고, 쓰고 싶은 대로, 쓰고 싶은 만큼 쓰세요"라고 말했다. 하지만 내게 쓰고 싶은 만큼이란 1,200자의 분량에선 1,200자, 200자 분량에선 200자다. 틀에 박힌 사고와 틀에 박힌 생각이다. 하지만 분명 장점도 있다. 분량이 많다고 걱정하거나, 적다고 섭섭해하지 않으니까. 요즘은 그저 A4용지 한 장 분량만 채우자는 심정으로 쓴다. 그게 요즘 독자들이 읽기에 가장 편한 분량이라고 어디선가 들었다.

■

분량을 지나치게 신경 쓰면 부작용도 있다. 중언부언이다. 머릿속 생각의 한도는 딱 정해져 있는데, 글의 분량만 늘리려고 하다 보니, 했던 말을 또 하고 계속해서 반복한다. 통찰력이나 깊이는 없고, 그저 문장을 이어가는 데 급급한 것이다. 그래서 나는 이 책을 쓰면서 결심했다. 분량에 크게 얽매이지 않기로. 고로 이젠 할 말이 떨어졌으니, 그만 쓰기로!

독립출판

20대 시절 독립출판물을 냈다. 벌써 5~6년 전 일인데, 그때도 지금처럼 책을 내고 싶다는 생각이 강했다. 하지만 출판사에 투고할 생각은 전혀 하지 못했다. 그건 나같이 평범한 사람이 다가갈 수 없는 영역이라고 생각했다. 그즈음 지역에 독립출판 서점이 생겼다는 소식을 들었다. 처음엔 독립출판이 뭔지도 모른 채, 그저 신상 카페가 생긴 것쯤으로 생각해 방문했다. 그렇게 방문한 곳은 그야말로 신세계였다. 아래 한글 프로그램으로 대충 만든 것 같은 책, 어릴 적 쓴 그림일기 공책을 가져다 만든 책, 직접 손으로 꿰매서 만든 책 등 이렇게 만들어도 되나 싶을 정도로 새롭고 낯선 책들이 많았다. 확실히 모양도 크기도 비슷비슷한 기존 출판사의 책들과는 달랐다.

집에 돌아가는 길 결심했다. 독립출판을 내기로.

일단 원고부터 마련해야 했다. 쓸거리가 마땅치
않았다. 마침, 당시 사귀던 여친과 후쿠오카
여행을 계획하고 있었다. 잘됐다 싶었다. 기존의
책이라면 분량도, 소재도 부족하지만,
독립출판이라면 가능할 것 같았다. 당장 작업에
착수했다. 하지만 마음과 달리 책 만들기는 쉽지
않았다. 아무리 독립출판이라고 하지만, 하나의
주제로 여러 편의 글을 써야 하는 게 쉽지
않았다. 글 한 편 쓰는 것과 책을 위해 여러 편의
글을 쓰는 것은 차원이 달랐다. 시간과 노력이 몇
배는 더 들었다. 더 큰 문제는 원고 자체였다.
여친과 떠난 여행은 처음부터 순탄치 않았다. 나는
공항으로 가는 버스를 찾는 것부터 헤맸고, 여친은
그 버스에서 멀미를 하며, 그야말로 최악의
컨디션이었다. 책을 만들기 전 생각했던, '로맨스
여행기' 따위는 상상할 수도 없는 분위기였다.
후쿠오카에 도착해서도 마찬가지였다. 하나부터
열까지 안 맞았다. 내가 관광명소를 찾아 이곳저곳
돌아다녀야 하는 스타일이라면, 여친은 동네의
한적한 카페에 앉아 커피를 마시며 쉬어야 하는
스타일이었다. 우린 여행 내내 치열하게 다투고

싸웠다. 심지어 여친이 여행 중간에 짐을 싸 공항으로 가려고 했다(하, 다시 생각해도 답답하다). 그러나 독립출판을 결심한 마당에 어찌 됐든 원고는 써야 했다. 책만을 쓰기 위한 여행은 아니었지만, 책이라도 내지 못하면 그 여행의 의미는 1도 없을 것 같았다. 나는 애써, 겨우, 감정을 짜내 여행의 에피소드를 담았다. 글 말미에 '~여름이었다'고 붙이면, 꽤 그럴싸한 감성 글이 되는 것처럼, 그 여행기의 마지막은 '그래도 행복했다'는 식으로 결론을 냈다.

그렇게 만든 책은 딱 제작비용만 남을 정도의 수익을 냈다. 그마저도 독립출판 초기였기에 얻은 결과였다. 요즘처럼 기성 출판사가 낸 책만큼 독립출판의 퀄리티가 좋아진 상황이었다면, 내 책은 어느 서점에서도 입고하지 못했을 것이다. 투박한 디자인에 내용은 더 별로였으니까. 다행히 지금 그 책은 이 지구상에서 구할 수 없게 됐다. 책이 다 팔렸을 리는 없고, 책을 보관하고 있던 독립서점들이 하나, 둘 폐업한 덕분이다(제대로 정산도 안 해주고!).

■

구 여친과의 여행기를 책으로 낼 때 친구들은
이렇게 말했다. "그러다 헤어지려고 하면 어쩌려고
그래? 흑역사 만드는 거야!" 그럴 때마다 나는
호기롭게 대꾸했다. "아니, 헤어질 게 무서워서
주저한다고?" 하지만, 역시, 사람들이 말리는 덴
다 이유가 있었다. 그 책을 내고 얼마지 않아
결국 그녀와 헤어졌다. 남은 건 지금의 아내가
가끔 그 책을 꺼내며 나를 놀려댄다는 것뿐.

수익 배분

로또가 돼도 일을 할 사람이 있을까. 그게 바로 나다. 로또가 돼본 적 없으니 단언할 순 없지만, 매일 로또가 당첨되는 상상은 많이 해봤다. 머릿속으로 시뮬레이션을 돌려본 결과, 그래도 일은 해야 한다는 생각. 만약 로또 당첨금이 20억이라고 치자. 먼저 집을 사야 한다. 요즘 브랜드 아파트는 내가 사는 대전을 기준으로 싸면 5억 비싸게는 10억에 달한다. 그러니까 그 중간인 7억쯤으로 대충 계산하자. 그러면 아파트 사고 13억이 남는다. 그중 각각 1억씩, 총 2억을 처가와 내 부모님께 드린다. 요즘 같은 시기에 좀 적은 것 같다가도, 어쩔 수 없다. 뉴스에 나온 사람들을 보면 돈이 많으면 많은 대로, 적으면 적은 대로 불행해졌다. 1억이면 불행하기도, 행복하기도 다소 애매한 금액이다. 그러면 11억이 남는다. 여기서부턴 우리 가족 몫이다. 아내와 내가 각각 5천만 원짜리 차를 산다. 5천만 원으로는 수입은 어렵고 현대기아차 등 국내 브랜드의 중간 옵션 정도다. 우리는 차 욕심은 크게 없으니 이 정도에 만족한다. 그렇담 다시 10억이 남는다. 여기서부터 치열한 고민이 시작된다. 앞선 것들은 남들도 다 사고 싶어 하는 것이었다면, 이제부터는 정말 내 맘대로 사는 것들이다.

나는 일단 다시 5천만 원을 떼어낸다. 이 돈으로는 조금 사치를 부릴 계획이다. 할리 데이비슨 오토바이(2천만 원대), 안네 발렌틴 안경테 컬렉션(개당 60만 원)를 구매하고, 국내 최고의 허리 치료 전문가에게 1:1로 교정을 받을 것이다(회당 20만 원으로 따져서 30번 정도. 총 600만 원), 그리고 연예인을 담당하는 헬스 트레이너를 붙여 몸을 만든다(이것도 총금액만 1천만 원). 그럼 여유 있게 따져 대충 4~5천만 원 쯤 쓴다.

그리고... 남은 9억 5천으로는 뭘 하지...? 앞으로 가장 하고 싶은 건 글쓰기다. 그런데 글을 쓰는 데는 돈이 필요 없잖아? 아래 한글 프로그램만

돌아가는 구형 노트북 하나면 충분하다. 그것도
아니면 종이에 펜만 있으면 된다. 돈이 필요 없는
공짜다. 그럼 내 책을 펴낼 출판사라도 차릴까.
아니야. 왠지 자비출판은(독립출판과 다른)
작가로서 모양이 빠진다. 어렵다. 일단 남은
금액을 모조리 은행에 넣자. 적당한 회사에 취업해
짬짬이 글을 쓰고, 좀 힘들다 싶으면 그만두겠다.
백수가 되면 그동안 쌓인 이자로 먹고살다, 다시
심심해지면 어디 취업해 글을 쓰고.
이런저런 셈을 하다가 괜히 의기양양해졌다.
아내를 불렀다.
"여보, 난 로또 돼도 일은 계속할 거야!"
"일단 로또나 사고 말하시지?"

93

체력 쌓기

글 쓸 때 꼭 갖춰야 할 것 중 하나가 지치지 않는
체력이다. 구체적으로는 오래 앉기를 버텨낼 수
있는 튼튼한 허리다. 첫 책을 낸 황홀한 기분이
사라질 때쯤, 새롭게 글을 쓰려고 노력했다.
하지만 쉽지 않았다. 잘 써야한다는 부담
때문이기도 했지만, 허리 디스크가 직접적인
원인이었다.
그동안 허리 건강은 자신 있었다. 공부는 안
했어도 고3 때는 7~8시간은 앉아 있었고,
군대에서도 무릎은 약해도 허리 하나는 멀쩡했다.
어릴 적엔 '림보' 선수가 될 재능이 있다고도
생각했다. 그런데, 몇 년 전 수영을 시작하고부터
급속도로 허리가 나빠졌다. 자유영, 배영,
평영까진 그래도 버틸 만했는데, 접영에서 탈이
났다. 접영은 말 그대로 허리를 활처럼 휜 다음
물 밖으로 날아야 하는데, 유연성이 없는 나는

무조건 힘으로 몸을 들어 올렸다. 디스크가 터졌다. 그나마 초기에 그걸 알고 수영을 그만뒀으면 나았을 텐데, '이건 나약한 정신력의 문제'라고 여기며 버텼다. 수영 실력이 나아지면 허리 통증도 나아질 것이라는 믿음으로 무려 2년이 넘는 기간 동안 참고 견뎠다. 정말 못 참을 때는 한의원에서 침을 맞고 다시 수영장에 갔다. 그 덕분에(?) 지금은 수영은커녕 의자에 1시간 이상 앉아 있기 힘든 몸 상태가 됐다. 젠장. 지금 다니는 회사에서도 오랫동안 앉아 있어야 하는데, 도저히 참을 수가 없다. 최소한 50분에 한 번씩은 허리를 펴주고 걸어야 한다. 책상에 앉아 오랫동안 글을 쓰는 것은 상상할 수도 없는 일이다. 의사들 또한 오래 앉는 것을 추천하지 않았다. 그런데 어쩌겠는가. 계속 해서 글을 쓰고 싶은 것을. 그래야만 의미 있는 삶까진 아니어도, 크게 인생을 낭비하고 있지 않는 사람이 되는 느낌이 드는데. 하는 수 없었다. 인생에서 무언가 얻으려면 희생이 따르는 법. 일단은 그 좋아하던 수영을 그만뒀다. 눈치도 팔아먹었다. 허리 건강을 위해 최소한 1시간에 한 번, 사무실에서 몰래몰래 나가

스트레칭을 하고 온다. 집에선 아이가 잠투정을
하는데도, 달래줄 생각은 안 하고 유튜브를 보며
허리 운동을 한다(여보 미안해). 최근엔 허리에
좋다는 지네 가루를 사다 꾸준히 먹고 있다(지네야
미안해).

글쓰기에 필요한 건 '엉덩이'라는 말을 많이
들었다. 나는 엉덩이가 무겁다. 엉덩이보다 중요한
건 허리다. 부디 글 쓰는 사람들이여, 그대들에게
진짜 필요한 건 허리, 허리, 허리 건강이다!

다르게 표현하기

글쓰기 전문가들은 '~한 것 같다'는 추측성 표현을
쓰지 말라고 조언한다. 주로 청년 세대들이 즐겨
쓴다면서. 자신의 판단에 확신을 갖지 않는
태도이자, 책임을 지지 않으려 하는 모습이며,
비겁하기까지 하다고 했다.
나도 오랫동안 그 표현을 쓰지 않았다. 확신을
갖거나 책임을 지려는 태도 따윈 없었지만, 글 못
쓰는 사람은 최소한 그런 노력이라도 해야 글을
잘 쓸 수 있을 것 같아서였다. 가령 어떤 책이
좋긴 하지만, 확실하게 좋다고 말하기 어려울
때도, '그 책은 좋다!'고 말했다. 싫지만 또 완전히
싫다고 말하기 애매할 때도, '그 책은 별로다!'라고
단정 지어 말했다. 이렇게 쓴 말들은 훨씬
정갈하고 전달력도 좋았다. 그리고 그게 다였다.
요즘 청년인 내가, 요즘 청년을 보면 저렇게 말할
수밖에, 쓸 수밖에 없다는 생각이 든다. 굳이

말하지 않아도, 세상은 복잡하다. 정치, 사회, 경제 등 모든 분야에서 불확실성 투성이다. 확실한 건 아무 것도 없다.

예전처럼 티비나 신문을 보고 '그거 티비에서 봤는데 말이야'라고 단정 지어 말할 수 없다. 유튜브, SNS 등 정보가 홍수처럼 넘치는 시대에선 도통 어떤 게 진짜인지, 가짜인지 구분해 낼 재간이 없다.

이 한복판에 놓인 청년들의 혼란은 더하다. 기성세대들은 그나마 자리를 잡았지만, 청년들은 막막하다. 나만 해도, 자기소개서를 쓸 때, 누구는 이렇게 썼다가 합격했다고 하고, 누구는 같은 회사에 저렇게 썼다가 떨어졌다는 소리를 매번 들었다. 면접은 말해 뭐하나. 이렇게도 저렇게도 떨어지는 사람이 있는가 하면, 이렇게든 저렇게든 아무것도 하지 않았는데 합격하는 사람이 있었다. 이런 상황에서 무엇이 확실할까. 어떤 걸 책임지고 말할 수 있을까.

요즘 청년들이 도전 정신이라던가, 패기가 부족하다는 등 비판에 좀처럼 동의할 수 없다. 그들은, 아니 우리는 열심히 살지 않는 게 아니다.

그저 모든 것이 불확실해지고 있는 시대에 이렇게
살아도 되는지 잘 모르겠는 것이다. 남들은 어떻게
살고 있을까, SNS를 통해 살펴보고 위로를 받고,
때론 질투도 하는 것이다. 그러니까 '~할 것 같다'
말고는 지금 우리, 아니 내 마음을 가장 잘
드러내는 표현은 없다. 그러니 확신을 가질 수
있는 세상, 책임을 지지 않아도 되는, 아니 책임을
지더라도 당당할 수 있는 세상을 만드는 게
먼저다. 그러기 전에는, 오늘도 내일도 여전히
모를 '것 같다.'

■

'앞이 보이지 않는데, 그래도 오늘은 기분이 좋은 것 같아. 어제도 그 전날에도 힘들었는데, 대체 왜일까. 좋을 게 하나 없는 인생인데, 오늘은 왜 기분이 좋다는 느낌이 들까. 모르겠다. 취업도 못 하고, 아직 학자금도 다 못 갚았는데, 왜 기분이 좋은 것 같지? 아니야. 아니겠지, 이 기분은 점점 다시 나빠지겠지. 그러니 좋은 건 아닐 거야. 아직 해결된 건 아무것도 없으니까.'

청년들에게 '~할 것 같다'는 표현은 이런 의미가 아닐까.

저자와의 만남

나는 저자와의 만남을 좋아하지 않는다.
도서관에서 하는 행사도 그렇고 실제로 만나는
것도 별로다(전적으로 개인적인 이유로!) 내가 첫
책을 내고 저자가 된 경우에도 만남은 하지
않았다. 찾아올 독자가 없기 때문이기도 하지만,
독자로서 겪었던 유쾌하지 못한 경험들이
생각나서였다.
내가 만난 저자들은 대부분 실제와 달랐다. 책
속에선 누군가의 멘토이자 조언자처럼 보였지만,
현실에서는 그와 반대로 무례하고 불친절했다. 한
번은 베스트셀러 작가이자 방송인 D를 만난 적이
있다. 그는 나를 포함한 청년들에게 속 시원한
'사이다' 발언으로 인기를 끌고 있었다. 그
분야에서는 이름만 말하면 알 정도로 독보적인
인물이었다. 그를 만나게 된 건 인터뷰
자리에서였다. 말투부터 굉장히 까칠했다. 질문을

던지기도 전에, '그 질문은 하지 말아주시고요',
'아무리 물어봤자 대답 안 할 거고요'라며 철벽을
쳤다. 기자와 취재원과의 기 싸움은 흔한
일이지만, 사실상 그 사람을 띄워주는 인터뷰에선
그런 경우가 거의 없다. 하지만 D는 마치
싸우려고 나온 사람 같았다. 어떤 질문에도
대답하기 싫다거나, 귀찮다는 식의 답변이었다.
어이가 없었다. 아무리 본인이 스타고 잘나가는
유명인이라고 하지만, 이제 막 만난 사람에게 그런
무례함이라니. 차갑고 도도한 게 콘셉트라고 해도
정도를 넘어섰다. 내가 그에게 기삿거리를 받는
입장이긴 해도, 나 또한 그의 이야기를 잘 포장해
홍보해 주는 사람이었다. 서로 '기브앤테이크'다.
'기브'만 집중해 자신의 조건만 줄줄이 늘어놓는
건, 협상 능력으로도 빵점이었다. 하지만 인터뷰
내내 D는 틱틱 거렸고, 나와 동료들은 땀만 뻘뻘
흘렸다. 같이 싸우자고 덤벼들어 기사를 펑크낼
수는 없었으니까.
시 쓰기 수업에서 만난 시인 B도 마찬가지였다.
그는 당시 촉망받는 젊은 시인이었다. 하지만
수업에서는 늙은 꼰대에 불과했다. 수업이 끝날

때까지 무려 2시간 동안 혼자 주절주절 떠들었다.
시를 알려 주려는 건지, 자기가 이만큼 똑똑하다는
걸 보여주려는 건지 좀처럼 알 수 없었다.
자기보다 '아래 것'인 수강생들의 말은 애초에
들을 생각은 없는 것 같았다. 첫 시간, 자기소개를
하는 자리였다. 나는 이번에야말로 최대한
솔직하게 나를 드러내고자 '남에게 인정받고 싶은
욕구가 많은 사람'이라고 말했다. 하지만 B는
심드렁했다. "아, 예~"라고 짧게 답만 하고 다른
사람으로 순서를 돌렸다. 재수 없었다. 아마
그에게 내 자기소개는 별로였을 것이다. 다른
수강생들은 자기를 소개하는 자리에서 '시인님을
보고 시인이 되고 싶었다', '평소에 팬이다, 이
자리에 오게 돼 너무 영광이다'는 둥 극렬한
팬심을 드러냈으니까. 나도 다른 이들처럼 일단
띄워줬어야 했나. 근데 이거 자기를 소개하는 시간
아닌가?
그밖에도 여러 저자를 만나며 깨달았다. 저자는 책
속에 있을 때 가장 멋지구나. 굳이 현실 세계에서
그 모습을 찾을 필요가 없구나. 아니, 그건 애초에
불가능한 일이구나.

그리고 결심했다. 혹시 내가 나중에 베스트셀러 작가가 된다면, 그래서 '저자와의 만남'하게 된다면, 엄청 친절하고 상냥한 모습으로 독자를 대하기로. '저 사람은 글은 별로지만, 실제로는 꽤 괜찮은 사람'이라고 생각할 정도로 말이다. 이것도 책 속 저자와 실제 모습이 다르긴 마찬가지겠지만.

■

좋은 선생님도 있었다. 동화 쓰기 강의에서 한
선생님은 온라인 수업임에도, 수강생들이 모두
방을 나갈 때까지 손을 흔들어 주는 친절함을
보였다. 개발세발로 쓴 내 동화를 보면서도 '참
잘했어요' 박수를 쳐줬다. 정말 동화다운
분이었다.

마케팅

가끔 이게 다 무슨 소용인가 싶다. 베스트셀러
작가는 아니어도, 마니아층을 보유한 '똘똘한
작가'가 되고 싶은데. 쉽지 않다. 요즘은 글쓰는
것보다 차라리 유명해지는 게 더 쉽지 않을까,
생각한다. 서점에 들러 대문짝만하게 걸려 있는
유명 연예인의 책을 본다. 말도 안 되는 내용으로
가득하다. 그래도 떡하니 베스트셀러 코너
한자리를 차지하고 있다. 그래, 사실 글은 별로
중요한 게 아닐지도 몰라. 저 사람들처럼
유명해져야지. 그런데 어떻게?
유명한 사람이 책을 쓰면 사람들은 본다. 맥락이
맞지 않아도, 문장이 틀려도 그냥 넘어간다. 전업
작가가 아니니까 그러려니 하는 것도 있지만, 그
부족함 또한 무슨 특별한 의도가 있을 것이라고
짐작해 주는 것이다. 하지만, 내가 그들의 책을
보며 느낀 건 글쎄. 그들은 심심해서 혹은, 다들

한 권쯤 내니까 책을 쓰는 것 같다. 글이 아니고, 책이 아니면 먹고 살 수 없는, 절박함까진 아니더라도 적어도 인생에 있어서 '꿈'이나 '목표'는 아닌 것 같다.

그렇다고 그들을 손가락질할 생각은 없다. 글쓰기는 유명한 사람에게도 유명하지 않은 사람에게도 공평하다. 그리고 그 글을 읽을 단 한 명의 독자만 있다면, 굳이 글을 쓰지 않을 이유도 없다. 글은 자기 자신을 효과적으로 표현할 수단이자, 도구다. 그러니 열심히 유명해질 궁리를 하는 수밖에.

자비출판

글 쓰는 모임 자리였다. 매년 1권씩 책을 내는
사람이 있었다. 벌써 10권째라고 했다. 집에 와
그분의 이름을 검색해 봤다. 안도 아닌 안도를
했다. 아, 자비출판이구나!

요즘에야 자비출판 대신 독립출판이라는 말이
생겨났지만, 독립출판도 엄밀히 말하면 자기 돈을
들여서 만드는 자비출판이다. 그 중간에 출판사가
끼냐, 안 끼냐의 문제지. 독자들의 기부를 받아
만드는 텀블벅 방식이나, 주문형 생산방식인
부크크도 비슷하다. 큰 의미에서는 작가 본인이
기획하고, 쓰고 팔아야 하는 독립출판과 크게
다르지 않다.

첫 독립출판물을 낼 때, 정말 모든 걸 스스로
했다. 원고를 쓰는 것도 당연하지만, 디자인, 인쇄,
입고까지 과정을 혼자 해내야 했다. 인쇄는 전문
인쇄업체에서 했지만, 충무로 인쇄소에 들러 직접

종이를 만져보며 골라야 했다. 그리고 책이 나왔을 때 느낀 건, 이건 딱 한 번으로 족한 것 같다는 생각이었다. 스스로 책을 만든다고 해서 책 퀄리티가 훨씬 나아지는 게 아니었기 때문이다. 보통 독립출판물을 내려는 이유는 기존의 출판사에서는 하지 못하는 색다른 기획과 콘셉트, 디자인을 만들고 싶어서다. 하지만 나에게는 그것도 사실 허영에 불과했다. 출판사의 거절 메일이 두려워 스스로 만들자는 마음이었으니까. 출판사에 정식 출간을 하면, 마케팅을 통해 어느 정도 독자를 확보할 수 있다. 하지만 스스로 책을 만들면 이 과정이 없다. 스스로 책을 팔러 다니지 않으면 책을 봐줄 사람이 없다는 의미다. 출판사에서 내는 방식 역시 그저 좋다곤 할 수 없다. 대형 출판사에서 낸 책들도 소리 소문 없이 사라지기 일쑤니까. 결국은 독립이든 자비든 출판사를 통한 정식 출간이든 콘텐츠가 좋으면 독자들 스스로 찾게 된다는 것이다. 1만 명의 소리 없는 독자(전문 리뷰어들 같은)를 가질 바에야 진심으로 읽고 말해줄 1명의 독자가 낫다는 판단이다. 작가는 좋은 글을 쓰면 되고.

글쓰기로 먹고 살기

글쓰기로 밥을 먹고 사는 게 꿈이다. 생각할수록 남들에게 말하기엔 어쩐지 부끄러운 표현이다. 괜히 글 하나에 목숨이라도 바칠 것 같은 느낌이 들어서다. 나에게 저 말은 문자 그대로 글로 돈을 벌고 밥을 사 먹고 싶다는 뜻이다. 그 밥이 치킨 피자 삼겹살 곱창일 뿐이다. 글로 치킨 사 먹는 게 꿈이라고 하면 튀어 보일까.

뭐라고 말하든 지금은 그 꿈을 이뤘다. 그런데 생각보다 기쁘진 않다. 행복은 강도보다 빈도순이라는데, 매번 글을 써 돈을 버는 데도 그렇다. 차라리 신춘문예 등단이라던지, 문학상 수상이라던지, 글로 기뻤던 어느 한순간이 있었다면 그걸 곱씹으며 살 텐데. 글 쓰는 꿈은 뭐랄까. 완결이 없는 삶의 방식이자 과정이다. 그동안 기자가 됐고, 에세이 작가가 됐고, 지금은 어느 공공기관에서 사보를 만드는 편집자가 됐다.

완벽하게 글로 먹고살고 있는 셈이다. 그러나 마음 한편으로는 이 꿈이 또 언젠가 사라질까 겁이 난다. 직장을 잃거나 출판사에게 원고를 거절당하면 글쓰기로 치킨 피자 곱창을 사 먹을 수 없으니까. 그러니 아직 꿈을 이뤘지만, 이뤘다, 는 완벽한 과거형으로 말할 순 없다.

학창 시절 여기저기서 꿈을 가지라는 말을 많이 들었다. 순전히 직업적인 관점에서 그랬다. '남을 돕고 살고 싶어요'라고 말하면 유니세프나 유엔처럼 국제기구 전문가가 되겠구나, 라고 했고 글 쓰는 삶이 꿈이라면, 소설가나 시인이 되겠구나, 말했다. 만약 직업이 꿈이었다면 나는 이제껏 많은 꿈들을 이루지 못했다. 시를 쓰다가 포기 했으니, 시인이 되는 꿈을 이루지 못했고, 웹소설을 배우다가 포기 했으니 웹소설 작가가 되지 못했고, 동화를 쓰다가 포기했으니 동화 작가가 되지 못했다.

그러나 '글 쓰는 삶'이란 꿈은 지금, 현재, 이 글을 쓰고 있는 당장은 분명 이뤘다. 그리고 이 꿈은 내가 글을 쓰고 있는 순간만큼은, 언제나 이룬 것이기도 하고, 이루고 있는 것이기도 하며,

이뤄야 할 것이기도 하다.

그래서일까. 글 쓰는 게 불행하다고, 행복하다고 딱 잘라 말하기 어렵다. 불행할 때도 있고 행복할 때도 있다. 내 인생처럼. 그러니까 이제, 내 꿈에 방점을 새로 찍겠다. 글 써서 '밥' 먹고 사는 것이 아니라,

글 써서 밥 먹고 '살겠다'라고.

에필로그

이 책을 쓰려고 마음 먹은 건, 아이러니하게도
글이 안 써져서였다. 뭐라도 쓰고 싶은데, 도저히
쓸 수가 없으니, 일단 닥치는 대로 쓰자는
마음이었다. 그렇게 아무 생각도 없이 줄줄 쓰다
보니, 책 한 권 분량이 됐다. 그리고 그 글들의
공통된 주제는 다름 아닌, 글쓰기였다.

나는 오래 전부터 유명한 작가가 되기 전까진,
글쓰기에 관한 글을 쓰지 말자고 다짐했었다. 무명
작가, 신인 작가가 글쓰기에 관한 글을 쓴다는 게
납득이 안 갔기 때문이다. '네 까짓 게 뭘 안다고
떠들어?'라는 느낌이랄까.

하지만, 쓰기 위해선 어쩔 수 없었다. 설령
건방지고 주제 넘는 것 같아도 적어도 글쓰기에
관해선 쓸 수 있을 것 같았다.

그것이야말로 내가 오래 전부터 지금까지 계속해서 하고 있는 일이었으니까, 기쁨과 슬픔과 불행과 행복 등 인생에서 겪는 모든 감정을 글쓰기에서 매번 느끼고 있다는 걸 말하고 싶었다.

이 책을 쓰며 내 글은 어떤 글일까, 나는 어떤 글을 쓰는 사람일까, 고민이 많았다. 솔직히 아직 잘 모르겠다. 그리고 그게 알아낼 수 있는 것인지도 사실은 모르겠다. 다만 그걸 아는 척, 있는 척 쓰지 말고 모른다고 쓰는 게 내 글쓰기에 가깝지 않냐는 생각은 들었다.

나는 오늘도 스스로에게 솔직한 글을 쓰려고 노력하고 있다. 그러다 보면, 언젠가 나라는 사람을, 내 글을 발견할 수도 있다고 믿으면서 말이다.

■

책을 펴내며 특별히,
사랑하는 아내 수진에게 감사하다는 말을 전한다.
아내는 내게 솔직함이라는 것을 알려준 첫 번째
사람이다. 이제 내 꿈이 아닌, 당신의 꿈이
이뤄지도록 돕겠다.

인스타그램을 찾아 친히 댓글을 남겨준
독자님들에게도 이 자리를 빌려 감사하다는 말을
전한다. '작가'처럼 있어 보이는 대댓글을 남겨
보려고 고민, 고민했으나, 결국 '좋아요'만 누르고
만 심경을 이해해 주시길.

부록

■
부록에 실린 글은 오래전 블로그에 썼던 '글쓰기
일기'에서 가져온 것이다. 그때도 지금만큼이나
글쓰기가 어렵고, 힘들었던 것 같다. 그때와
지금의 나는 무엇이 달라졌을까.

2016. 8. 9. 09:21

요새는 남 모르게 기자가 되기를 준비하고 있다. 글쓰기 공부를 하는 셈이다. 막상 공부를 시작하려니, 머릿속엔 아쉬움이 스쳐 지나간다. 지난 날에 대한 미련과 후회다. OO일보 인턴 시절, 만족스러운 생활은 아니었지만 글쓰기 실력 하나만큼은 늘었다. 선배들의 압박과 그 압박을 더 키워내는 나의 소심함 덕이었다. 그러나 인턴이 끝난 후 나는 펜을 내려놓았다. 기자쯤은 이미 경험했으니 다른 것을 해도 좋겠다는 생각이 들었기 때문이다. 후회가 된다. 그때부터 쭉 공부를 했으면 지금은 글쓰기 실력이 더 늘지 않았을까. 같이 인턴 했던 친구들에게서 기자로 취업했다는 소식이 들려온다. 그동안 나는 무엇을 했을까. 여행, 놀기, 연애? 내가 이런 것들을 누릴 시간에 그들은 공부를 했기 때문일까. 아쉬움과 후회와 질투와 부러움을 이 글 속에 꽉꽉 담아둔다. 그렇게 해야 한다.

2016. 8. 10. 20:27

글쓰기 초보라고 내 자신을 명명한 뒤 마음이
편해졌다. 글쓰기에 대한 부담이 완벽하게
사라지진 않았지만, 이전처럼 지레 겁부터 먹고
꽁무니를 빼진 않는다. 글쓰기를 '업'으로 삼은
데는 글쓰기가 내 인정 욕구를 충족시켜 준
유일한 도구였기 때문이다. 그러나 그 업은
머지않아 나를 붙잡는 족쇄가 되었다. 인정이란
동력은 줄곧 이어지는 게 아니었다. 내 어깨를
짓누르고 더 이상 한걸음 조차 나가지 못하도록
만들었다. 언제나 힘이 잔뜩 들어간 상태에서,
문장 쓰는 일이 두렵게만 느껴졌다. 내가 할 수
있는 최대한의 솔직함, 그리고 편안한 상태에서
문장을 이어 나가면 된다. 걸리는 게 있다면 내가
깨달음을 얻은 유명 작가의 글이 순전 뻥이라는
누군가의 평. 뻥이라도 그럴듯하면 된다는 것인가.
현재로서는 그렇게 말하면 안된다. 적어도 나는
지금 솔직하게 쓰는 것만큼 더 나은 글쓰기
전략을 찾지 못했다.
그러니, 힘내자. 병조야.

2016. 8. 16. 22:31

오늘 내 옆자리에 앉은 선생님이 말했다. "병조 쌤은 참 책을 많이 읽는 것 같아요." 나는 멋쩍은 듯 답했다. "그냥, 심심해서 그렇죠." 사실 내 말은 순전히 뻥이다. 책을 심심해서 읽는 게 아니라, 심심할까 봐 읽는 게 맞다. 곧 실업을 앞둔 상황에서 무엇이라도 하지 않으면, 불안한 마음에 읽는 것이다. 그럼 난 왜 거짓말을 했는가. 남의 칭찬이 고팠기 때문이다. 대수롭지 않은 듯한 이야기지만 내게는 듣기 좋은 소리였다. 한 3분 정도 기분이 좋았던 것 같다. 남들에게 인정받는 일. 인정을 거부하는 일. 둘 다 어려운 일인 게 틀림없다.

2016. 8. 17. 18:04

잘 쓴 글을 읽으면 기분이 좋다. 내가 생각하는 잘 쓴 글의 기준은 간단하다. 읽기 쉬울 것, 깔끔할 것. 최근에 봤던 글 중에는 월간 샘터의 이종원 편집장과 칼럼니스트 고종석 씨가 그렇다. 이종원 편집장의 글은 한 마디로 군더더기가 없는

문장들로 이루어져 있다. 고종석 씨는 깔끔함을
기본으로 글이 능수능란하다. 그들의 글을 읽기
전까진 남들이 좋다는 글을 읽어도 별 감흥이
없었다. 그들의 글을 보며 나도 잘 쓰고 싶다는
생각이 들었다는 것. 심장이 떨렸다.

2016. 8. 18. 21:18
오늘은 바빴다. 여러 가지 일이 많았다. 하지만
힘들지 않았다. 되려 에너지가 생겼다. 복잡한
일을 처리하는 쾌감 때문이었다. 짧은 문장의
아름다움을 보았다. 내가 원하는 문장이었다. 짧게
쓰자. 간결하게 쓰자. 할 수 있다, 할 수 있다, 할
수 있다.

2016. 8. 24. 21:38
단정한 글이 좋다. 깔끔한 글이 좋다. 쉬운 글이
좋다. 갈고 닦은 문장이 좋다. 기름기 빠진 문장이
좋다. 강박을 이겨내자.

2016. 8. 28. 21:52

남의 블로그를 염탐했다. 그의 고민은 여느 직장인과 비슷했다. 일이 힘들고 자신은 능력이 없다는 것. 그러나 다른 사람과 큰 차이점이 있었다. 그 일이란 게 글쓰기라는 것. 잘 쓰려고 완벽하게 쓰려고 그는 고민했다. 그의 선배는 우선 쏟아내라고 조언했다고 한다. 맞는 말이다. 뒤돌아보지 말고 일단 쏟아내야 한다. 그럼 나는 그러고 있는가. 블로그 주인의 고민이 내 고민이다. 어떤 작가는 퇴고를 하지 않는다고 한다. 또 다른 이는 반드시 고쳐야 한다고 한다. 둘 중 어떤 게 맞는 말일까. 아니, 어느 게 나와 맞는 방법일까. 고민에 고민을 거듭한다. 그리고 작은 희망을 발견한다. 완벽하게 쓰고 가볍게 써도 일단 써보는 것. 그러다 지치면 또 다른 방법을 써보는 것. 중요한 건 포기하지 않는 것. 갑자기 마주친 블로그에서 나는 배운다.

2016. 9. 5. 23:53

글을 쓰고 싶어 미치겠다. 스스로 글쓰기 초보라고

생각한 뒤부터 마음이 편해졌다. 뿐만 아니라 세상 모든 글쟁이들이 내 스승이고 작법서다. 두려움이 완벽하게 사라진 건 아니다. 아직도 겁이 나고 검열을 한다. 틀린 문장을 쓸까 봐 아예 시도조차 하지 못한다. 하지만 글을 평생 쓰는 것. 김현 선생도 젊은 시절엔 글을 못 썼다고 한다. 다만 포기하지 않았을 뿐이다. 나도 포기하지 않을 테다. 남들에게 글 잘 쓴다는 칭찬은 오랫동안 날 괴롭혔다. 체력도 키워야 한다. 의자에 앉아 있을 힘없이 글을 쓸 순 없다. 나는 할 수 있다. 일기라도 꾸준히 쓰자. 병조야 할 수 있다.

2016. 9. 6. 23:21

더 열심히 하자. 게임에 미쳐 글공부를 게을리했다. 부끄러운 일이다. 오늘만 살자는 다짐은 게으름을 위한 좋은 변명이다. 기운이 없어 못한다는 말도 마찬가지다. 애초 게임을 하지 않았으면 없을 문제다. 오늘따라 글이 잘 써지는 이유는 뭘까. 필사의 결실일까. 아직 멀었다. 나는 지금도 솔직한 글을 쓰지 않고 있다. 그저 편한 문장만 골라 쓰고 있다. 반성하자.

2016. 9. 9. 13:42
시 쓰는 동생을 만났다. 그는 여느 때처럼
자신감이 넘쳤다. 자신감이란, 곧 등단을 말하는
것이었다. 질투가 났다. 화가 났다. 나는
포기했는데 그는 포기하지 않았다. 나는 버티지
못했는데 그는 버텼다. 오늘따라 화가 많이 난다.
나 자신이 싫다. 왜 그럴까. 빡이 친다. 씨발.

2016. 9. 13. 22:05
고종석 선생의 글을 보았다. 그중 스타일에 대한
그의 생각이 인상 깊었다. 아무리 글 스타일이
좋아도 내면, 기품이 없으면 아무 소용 없다는
것이다. 맞는 말이다. 나는 남들과 구별 짓기 위해
글을 썼다. 물론 잘 쓴 적도 없지만 자세부터
틀려먹었다. 글은 내면을 담는 그릇일진대, 함부로
써선 안 됐다. 오늘은 배움보다 후회가 앞선다. 내
생각을 오롯이 담아 글을 쓰자. 이미 알고 있잖아.

솔직하지 못한 글은 아무짝에도 쓸모가 없는 것을.
병조야, 정신 차리자.

2016. 9. 14. 17:10
허지웅에 대한 관심이 부쩍 늘었다. 그의 에세이는
읽은 지 한참이다. 그는 스스로를 글 쓰는
사람이라 부른다. 나는 감히 흉내 낼 수 없는
표현이라고 생각한다. 쫄지말라며 그깟
글쓰기쯤이야, 라고 말할 수 있겠다. 하지만
스스로 글쟁이라고 말하는 일은 얼마나 두려운
일인지 나는 알고 있다. 그리고 지금은 그러고
싶지 않다. 글 쓰는 이라 하면 오는 주변의 기대.
얼마나 잘 쓰는지 두고 보자, 는 시선. 나는
실력도 없음을 고사하고, 그 늪에서 이겨낼 자신이
없다. 그럼에도 글을 쓸 것이라는 용기를 되뇌어
본다.
…
나는 글쓰기가 즐거운지 드디어 깨달았다. 이제껏
나에게 글쓰기는 남에게 인정받는 도구였다.
그러나 글쓰기는 내게 애정이 있어 떠나지 않았고,

내가 점점 그에게 마음을 열었다. 좋았고, 버렸던, 글쓰기. 나를 떠나지 않은 놈. 시간이 지나며 이젠 내가 글쓰기를 점점 더 좋아하고 있게 됐다.

2016. 9. 15. 2:12

이 새벽 나는 죽음에 대해 생각했다. 사람은 죽어서 어디로 가는가. 천국은 있는가. 천국이라면 슬픔은 있을까. 별이 되어 있을까. 별이라면 의식은 있을까. 지구를 내려다보는 별이 머릿속에 그려질 때쯤, 나는 행복에 대해 생각했다. 푸른 바다가 보이는 호주, 긴 머리를 휘날리며 마치 야인의 행색을 한 사내. 그리고 이 모든 이미지들이 하나의 사진에 담겨, SNS에 올려져 있는 모습을. 내가 바라는 행복의 모습은 이런 걸까. 다시 필사를 하고 있는 현재 내 모습을 보았다. 글을 잘 쓰려고 하는 짓이었다. 글을 잘 쓰려는 이유는 행복하기 위해서다. 굳이 자유인의 행색, 남의 시선이 아니더라도 나는 충분히 행복할 수 있다는 가능성을 발견한 밤이다.

2016. 9. 18. 20:15

종일 글 쓰는 일을 생각했다. 차창에 기대 문장을 만들었다. 머릿속 놀음이 꽤 재밌었다. 친구 A가 취업을 했다. 제약회사였다. 왠지 모를 우월감이 생겼다. 또 한 명의 글 쓰는 이가 사라졌다. 오랫동안 그를 내심 부러워했던 터였다.

2016. 9. 19. 15:56

모르는 분야를 가장 빠르고 쉽게 익히는 법은 그 분야에 대한 글을 쓰는 것이다. 안철수가 했던 말이다. 고종석도 비슷한 말을 했다. 아는 게 없다고 글을 쓰지 않는다면, 그 사람은 계속 글을 쓰지 않을 가능성이 크다고. 개인적 경험, 시사, 에피소드. 그가 추천한 세 가지 방법이다. 일반적 방법이다. 결국 실천의 문제다. 수암골에 얽힌 내 이야기를 써보겠다.

2016. 9. 20. 16:20

책을 써야겠다. 아니 정확하게 말하면 잡지다. 내

돈 주고 내가 만드는 나만의 잡지. 아.
'나만의'라는 수식은 빼자. 왠지 좋아 보이니까.
좋아서 쓰는 게 아니다. 잡지를 만들기로 한 건
철저히 내 이득을 위해서다. 좀 유명세를 타면
좋겠다 싶고 화제가 되면 더할 나위 없다. 그러니
일종의 투자다. 나는 지금 내 인정욕구를 위한
투자를 하고 있다. 다만 이게 좀 세상에 보탬이
됐으면 하는 욕심, 은 있다.

2016. 9. 22. 18:37
남을 부러워하는 내가 부끄럽다. SNS에 올라오는
그들의 삶이 부럽다. 물론 나의 기준은 좀 다르다.
자기 개성과 색깔이 있는 사람. 이런 사람이
부럽다. 나는 카멜레온 같아서 언제나 남을 따라
색을 바꾼다. 그러면 내 색은 어디있나. 오래 전
읽은 이지애 아나운서의 수필이 생각난다. 그녀
또한 비슷한 고민이었다. 그리고 한 사람이
그녀에게 조언한다. 그것도 네 모습이고, 저것도
네 모습이야. 변화하는 여러 모습들 모두 내
모습이라고? 나만의 스타일이 바로 그거라고? 흠.

2016. 9. 25. 17:03

나는 얼마나 비겁한가. 상사와의 술자리에서 나는
연신 고개만 끄덕인다. 다른 선생은 애써 상사의
말에 거부한다. 선생 B는 인문학을 아는, 하는
사람이다. 나는 그런 선생이 처음엔 눈치 없다고
느꼈다. 눈치가 빠른 내게 눈치를 보는 이들은
쉽게 보인다. 곰곰이 생각해 본다. 그는 그저
덜떨어진 사람일 뿐일까. 아니면 인문학을 알고
실천에 옮기는 사람일까. 전자의 문제는 그
덜떨어짐을 아는 이가 드물고, 되레 좋아하는
경우가 많다는 것이다. 후자는 그럴 수 있을까,
생각한다. 속마음을, 나는 괜찮다며, 털어놓지
않는 모습 때문에 도무지 알 길이 없다.

2016. 9. 26. 17:04

기분 탓인지 아니면 글이 더없이 빼어나기
때문인지 모르겠다. 황현산 선생의 글에서 울림이
느껴진다. 그 울림은 김광석의 노래를 들을 때와
비슷하다. 올드 버전으로 이야기하면 아리랑 쯤
되겠다. 막연하지만 가슴 한편이 먹먹해지는 이

울림. 감상을 남기는 지금도 애써 그 감정을
누그러뜨리려 애쓴다. 고종석 선생의 추천으로 황
선생의 글을 읽고 있다. 고 선생은 그의 글에
대해 '미학적으로 뛰어난'이라고 표현했다. 나는
무어라 말할 수 있을까. 울림이 느껴지는 글,
잔잔하지만 깊이 있는 글. 앞서 허지웅의 글과는
전혀 다른 느낌이다. 그의 주장은 색이 선명했다.
그러나 황현산은 덤덤하게 말한다. 관록일 지도
모른다. 분명한 건 황현산 쪽이 내겐 더 편하게
느껴진다는 것이다.

2016. 9. 27. 10:34
스위치를 켠다, 끈다. 잠시 다른 사람이 된다.
어색함은 저 한 편으로 구겨 넣는다. 남은 건
시정잡배와 다를 게 없는 말뿐. 만남이 끝나고
돌아오는 길. 나는 외로움으로 변해버린 그
어색함을 붙들고 서 있다. 오늘도 수고했어, 라고
애써 말하지 않는다. 이젠 너무 익숙한 일이다.
나는 구겨졌다, 다시 펴진다.

2016. 9. 28. 14:29

글은 정직하게 써야 한다. 기자 시절 나는
비겁했다. 누구든 비슷하다면 할 말이 없다.
그럼으로써 되레 나를 지킬 수 있다는 드라마
미생의 대사도 무의미하다. 자책하면서 나를
되찾는 길이라면 애초에 있던 나는 어디로 가는가.
나를 점점 잃어가는 것에 대한 본능이 작동해
결국 나를 지킨다는 논리. 어딘가 서글프고
그렇게라도 내가 아직 죽지 않았다고 자위해야
하다니. 내가 조금 더 정직했더라면... 적어도
후회는 없다고 당당하게 말할 수 있었더라면...
아는 형과 점심을 먹으며 나눴던 나의 반성이다.

2016. 9. 28. 23:16

책 제목: 교회 가기 싫어요(가제)
타겟: 교회를 가기 싫은 20대, 혹은 종교인.
무엇을: 내가 겪었던 종교적 폭력
어떻게 말할 것인가: 중학교 3학년의 입을 빌려.
모태신앙, 입문, 수련회, 전도사, 귀신, 방언, 대학
아웃사이더, 종교동아리, 군대, 금식, 음악,

대들기, 마지막 문자, 금식 피자, 3일 금식,
음악에 미쳐.

2016. 9. 30. 10:31
시를 쓸 땐 시 병을 앓았다. 시가 안 써져 시만
생각하고 생각하다 결국 지치는 병이다. 나는 시를
처음 배울 때 시 병을 크게 앓았다. 내 시는 어느
누구에게도 인정을 받지 못했다. 스스로 잘 썼다고
생각하는 시는 당연히 없었다. 요즘 내가 그렇다.
시 병은 아니지만 글 병이 왔다. 글을 쓰고 싶고,
정말 쓰고픈 마음이 가득한데 글이 안 써진다.
글을 못 쓰겠다. 겁이 나는 걸까. 강박의 겁. 나는
이렇게 중얼거린다. 넌 글쓰기 초보야. 조금 더
천천히 가보자.

2016. 10. 1. 16:21
고민이 많았다. 내 여행을 글로 옮긴다는 게
부담스러웠다. 그런데도 내 안의 무언가 끊임없이
말했다. 너는 써야 한다고. 거부하고 피해도

자꾸만 날 괴롭혔다. 그 여행 따위 아무것도
아니었잖아, 물어도 소용없었다. 특별할 것 없는
내 이야기를 내놓는다. 여전히 답을 찾지 못한 채.
부디 이렇게만 여기고 말아 주길. 누가, 여행을
다녀왔고, 썼다.

2016. 10. 2. 23:22
피로 찍어내는 일이 글쓰기다. 현실의 억압에서
벗어나 한 줄기 빛을 쫓는 일이다. 빛을 쫓기
위해선 나를 철저히 부숴야 한다. 강박, 부담,
인정욕구로부터 나를 분리해야 한다. 나는 이
작업이 너무나 부담스럽다. 힘들고 때론 가슴 속에
돌덩이 하나를 넣는 일처럼 느껴진다. 그런데도
나가야만 한다. 이겨내지 못하면 나는 죽을
것이다. 나는 유령처럼 시체처럼 평생 글쓰기
주위를 맴돌 것이다. 그래서 피를 깎는 일이라고
한다. 내 안의 콤플렉스를 우선 몰아내야 한다.
이유 없이 보기 싫은 것, 하기 싫은 것, 시궁창에
몸을 던진 다음 씻지 못하는 상황에 나를
몰아넣어야 한다. 나는 매번 무섭다. 무서워

온몸이 떨린다. 아무것도 아닌 게 나에겐 너무
힘이 든다. 죽고 싶다. 칼이 있다면 내 손가락과
허벅지를 찌르고 싶다. 나는 살아야만 한다.
극복해야 한다. 오랜 시간 나는 이 두려움을
넘어서지 못하고 고꾸라졌고 바닥에 쓰러져 울고
말았다. 때로는 달래기도 했다. 너는 글쓰기
초보니까. 다음에 더 잘하면 되지. 달랬다. 하지만
그것도 결국 이 운명을 감당하기 위해서다. 나는
죽어야만 한다. 나는 뼛속 깊이 찔러야만 한다.

2016. 10. 4. 21:43
피곤하다. 글을 써야 한다는 부담감 때문일까. 글
따위는 쳐다보고 싶지 않다. 솔직하지 못한
쓰레기를 결국 쓰고 말았다. 나는 또 실패했다.
나는 다시 일어서야 한다.

2016. 10. 5. 16:28
일단 무조건 쓰라고? 참 쉬운 말이다. 누군들
그러고 싶지 않겠냐. 나도 편하게 쓰고 대충 쓰고

싶다고. 근데 그게 힘든 걸 어떡해. 글쓰기를 위한
투쟁을 하기 전부터 진이 다 빠지는데 어떡하냐고.
생각해 봐라. 글을 일단 쓰고 나서 싸우더라도
싸워야 하는데. 이게 웬걸. 나는 그건 고사하고
쓰는 것부터 어려워. 머리 아프고. 미칠 것 같고.
토할 것 같고. 손가락이 부서질 것 같고. 이래서는
내 글은 다 망할 것 같단 말이야. 그래서 나는
남들보다 맨날 손해야. 남들은 일단 쓰고 수정하는
일부터 하는데. 나는 시발 그냥 쓰는 것 자체가
뭔 놈의 강박증 때문인지 다 마음에 안들어서 한
줄 쓰고 지우고 쓰고 지우고 그 유명한 작가들도
다 쓰는 표현을 다는 못 쓰고 병신같이, 쪼다같이,
뭔 놈의 글을 이렇게 강박증으로 느끼는지. 요새는
존나게 훈련해서 그나마 나은 거지. 예전에는 그게
너무 싫어서 아예 하질 못했다. 그래서 초고라는
걸 만들어야 하나. 초고를 쓰는 이유는 잘 봐.
나는 글을 처음부터 완벽하게 쓰려고 한다. 그럼
결국 다 완성도 못 하고 끝낸다. 그래서 초고를
쓴다. 초고를 다 뜯어도 좋으니? 초고를 쓰는 건
수단이다. 초고를 먼저 쓰는 게 순서고, 글을 쓰는
방법이라고 생각하자.

2016. 10. 10. 14:59

면접을 앞두고 있다. 본격적인 떨림이 시작되진
않았지만, 점점 그 기운을 느낄 수 있다. 자신감과
여유. 쫄지말라는 나의 오랜 모토. 어떤 가면을
써야 할까, 고민하는 이 시점. 지난 올림픽에서
가장 화제가 됐던 말. 나는 할 수 있다, 할 수
있다. 할 수 있다. 가장 단순하고 식상하기까지 한
이 말이 요즘은 힘이 된다. 대학 시절 근로학생을
했던 형이 생각난다. 그 형도 단순함의 힘을 아는
형이었다. 할 수 있다.

2016. 10. 11. 15:47

오늘은 면접을 보고 왔다. 전체적으로 무난했던
느낌이었다. 더러 거짓말을 했고, 중언부언의
연속이었다. 위안 삼을만한 건 연신 고개를
끄덕이는 편집국장이었다. 마지막 말이 거슬리긴
한다. 아니 마지막 질문이었다. "마지막으로
하고픈 말이 있나." "아직 기자로서 부족한 점은
많지만, 앞으로 선배님들에게 열심히
배우겠습니다." "그럼 젊은 사람이 패기가

있어야지. 아버지도 군인이었으니까." "네.
있습니다." 결과는 모른다. 될 것이라 생각한다.
무지 바쁜 하루였다. 내일은 기대하자.

2016. 10. 11. 22:26
기사 쓰는 법. 여러 가지 정보 중에, 내가(독자가)
원하는 것(중요한 것)을 뽑아, 골라서 주제(야마)로
삼는다. 나머지는 주제(야마)를 떠 받든다. ex)
중요한 근거인 취재원의 말도 마찬가지. 골라서.
나머지는 주제의 부차적인 것.

2016. 10. 12. 19:40
쉬운 글을 쓰는 사람, 신동진. 브런치에서만 알던
그의 필력을 책으로 보았다. 술술 읽게 만드는
재주가 있었다. 그러나 아쉬운 점은 있기
마련이다. 글을 쉽게 쓰는 데 집중한 탓인지,
깊이가 없어 보였다. 가벼운 내용을 가볍게만
말하면 독자는 모른다. 특히나 요즘처럼 호흡이
빠른 독자들은 가볍게만 읽고 넘어가지 않는다.

내용을 가지 치고, 줄이느라 바빴을 그의 노고를
생각하면 안타깝지만, 책은 의도와는 달리
실패했다고 생각한다.

2016. 10. 14. 16:19
내게 맞는 글쓰기 스타일은 무얼까. 누구는 전략을
갖고 글을 쓰라 한다. 다른 이는 제 것을
풀어내면 그만이라 한다. 내 소망은 이렇다.
재밌는 글을 쓰는 것. 단정하고 깔끔한 문장을
쓰는 것. 겉보기엔 둘은 상충되는 것처럼 보인다.
내 자신을 찾는 일만큼 글의 스타일을 찾는 것
또한 어렵다. 젠장. 이러지 말자고 다짐했건만, 또
이런다.

2016. 10. 16. 22:11
글쓰기는 마라톤이다. 단숨에 잘하기보다는
꾸준하게 노력해야 한다. 이 간단한 사실은 전엔
몰랐다. 어느 때는 글쓰기는 쉽다고 오만했고,
어차피 해도 안 된다는 포기도 했었다. 지금은

하나씩 계단을 밟아 오르는 중이다. 실력을 높이는
과정에서 느낀 깨달음을 적고 있다. 즐기는 건
이런 게 아닌가 싶다. 버틴다는 피동적인 표현보다
우직하단 표현이 훌륭하다. 나는 글공부를
우직하게 하는 사람이다.

2016. 10. 17. 13:53
황현산의 책을 끝까지 읽지 못했다. 후반으로
갈수록 감정이입이 어려웠기 때문이다. 고종석의
추천에는 '아름다운 문장'이 있었다. 아무리
아름다워도 내 취향이 아니라면 그만이다. 그와
내가 겪는 세월의 감성은 크게 달라 보인다.

2016. 10. 18. 21:02
쉽게 결정을 못 내리는 상태를 요즘은
'결정장애'라고 부른다. 이전엔 '우유부단'으로
표현되던 게 이제는 장애의 범위까지 들어간
것이다. 나는 결정장애를 안고 태어났다. 한 번도
쉽게 결정한 적이 별로 없었다. 그저 아닌 척했을

뿐이다. 쿨하지 못함을 부끄럽게 여겼다. 직장을
구하는 데도 이 결정장애는 나를 괴롭힌다.
선택하고 결정하면 그만인 걸 아무 결정도 내리지
못한다. 혹 결정을 내렸더라도 과연 이게 맞는
걸까 하고 끊임없이 되묻는다. 돌이켜보면
오랫동안 기독교를 믿은 게 장애의 원인이 아닐까
싶다. 모 신문 기사에선 어릴 적부터 스스로
결정하는 습관이 형성되지 않으면, 이 기능을
담당하는 전두엽의 발달이 떨어진다고 했다.
요컨대 어릴 적 신에게 모든 선택을 맡겼던 나는
어른이 돼서도 결정을 내리는 데 어려움을
겪는다는 것이다. 그렇다면 이 기능은 성인이 된
지금 다시 발달할 수 있을까.

2016. 10. 19. 22:50
신동진의 말이 맞았다. 필사의 위력은 대단했다.
내가 하고 싶은 말이 술술 풀려 나왔다. 지나친
강박은 조금 사그라들었다. 기억하자. 초고는
조건이 아니다. 초고는 필수이며 글을 잘 쓰기
위해 반드시 거쳐야 할 수단이다. 그러니 초고에

모든 힘과 에너지를 쏟지 말자. 고치면 된다. 내 손가락에선 아직도 쥐가 난다. 강박 때문이다.

2016. 10. 20. 23:03

피곤한 하루였다. 아침부터 퇴근하고 글 쓰는 지금까지 피곤했다. 잠은 충분히 잔 것 같은데 왜 이렇게 피곤할까. 몸이 피곤하니 짜증부터 난다. 뭘 해도 의욕이 떨어진다. 나는 자주 이랬다. 그리고 인간에 대해 생각해보게 된다. 피로함을 느끼고 짜증이란 감정이 생기고. 동물은 이러지 않을까. 반대로 이런 몸과 정신의 관계가 인간만이 가진 체계일까. 이렇게라도 생각하면 한결 낫다. 인간은 로봇도 아니고 짐승도 아니라서 그럴 거다. 그러니 이 마음 상태에 따라 많은 게 달라질 수 있다. 평생 일을 구하다가 죽는 상상을 했다. 취업이 마치 내 인생의 유일한 목적인 것처럼, 나는 살고 있다.

취업을 하면 뭐가 달라질까. 조금 더 행복할 수 있을까. 스트레스를 받고 작은 일에 웃고 이게 다 일까. 이렇게 생각하는 건 취업이 힘들어 도피하는

걸까. 생각이 많아진다. 힘내자. 몸이 마음을
힘들게 한 것처럼, 마음이 몸을 다스릴 수 있다.
오래된 표현이지만 믿자.

2016. 10. 22. 17:15
취업을 원할수록 선택의 순간들이 많아진다. 어느
직장이건 상관없다던 지난 날의 말이 무색하다.
그나마 글쓰기는 잘 풀리고 있는 편이다. 여전히
강박증세는 있지만 묵묵히 가는 것외에 다른
방법이 없다. 위로 역시 글쓰기를 통해서다.
일기를 쓰며 글쓰기에게 받은 상처를 치유받는다.
타인의 위로를 기대하면 공허함을 느낀다. 내
병세를 합리화하는 경우가 많기 때문이다. 적어도
글쓰기는 생각할 시간을 준다. 합리화는 순간적인
반응이지만, 글쓰기는 그렇지 않다. 적지만
생각하는 이 시간이 힐링타임이다. 군대 시절 쓰던
수양록이 생각난다. 1년 반을 넘게 썼지만
뒤돌아보면 비슷한 내용의 연속이었다. 힘들다,
힘내자, 힘들다, 힘내자 반복. 그래도 그걸 썼기에
지금의 내가 있다. 버틸 수 있었고, 버텼다. 나는
내 스스로가 행복해졌으면 한다.

2016. 10. 25. 19:15

갈지 않은 칼은 금방 녹이 슨다. 쓰지 않은
문장은 어느새 사라진다. 고작 3일이다. 필사도
멈추고 일기도 안 쓴 날이. 그런데 그 3일 동안
무슨 일이 났는지, 나는 글쓰기를 까먹었다.
자신감도 떨어지고 잡힐 듯했던 글쓰기, 뿌옇게
떠나니던 글쓰기가 사라졌다. 다시 써야한다. 빨리
시작할수록 빨리 회복할 수 있다. 이력서를
쓰느라, 고민을 하느라 가장 기본을 잊고 있었다.
다시 쓰자, 병조야. 파이팅!

2016. 10. 26. 19:34

무슨 책을 읽을까 고민하는 날이다. 이전까지
끌리는 책이 종종 있었다. 고종석을 읽다 우연찮게
황현산을 읽었다. 황현산이 끝나고 신동진을 이제
막 다 읽었다. 그리고 나선 아직 감감 무소식이다.
꼬리를 무는 독서 습관은 재미가 있다. 다음에
읽을 책을 고민하지 않아도 된다. 고른 책들이
일정한 흐름을 갖게 되는 매력도 있다. 지금
내게는 한 권의 책이 있다. 월간 샘터 11월호. 앞

장부터 천천히 읽으려는 욕심은 가끔 날 지치게
한다. 새로운 책을 애써 찾아야겠다.

2016. 10. 29. 16:22
의도한 건 아니지만 좋은 책을 골랐다. 강원국
선생이 쓴 '대통령의 글쓰기'다. 이 책을 고르게 된
것은 순전히 그의 이력 때문이었다. 기자를 꿈꾸다
낙방한 뒤, 대기업에 근무하다 우연한 기회에 글을
써서 인정을 받았다. 그의 미담으로만 치부하긴
아쉬운 대목이다. 물론 다독, 다작, 다상량을
강조한다. 그러나 어떻게 쓸 것이냐 보다, 무엇을
쓸 것이냐, 하는 문제를 고민해야 한다는 그의
말이 나를 사로잡았다. 야구 선수의 예를 들며
글을 쓸 때에도 힘을 빼라는 다소 식상한 표현도
마음에 들었다. 그건 그의 말 속에서 진심을
보았기 때문이었고, 노무현 대통령에 대한 그리움
때문이기도 할 것이다. 아무튼 주말에 나와 이렇게
졸며 있지만 좋은 책 한 권을 얻었다는 보람은
가볍게 넘길 게 아니다. 하다보면 는다는 말은
조바심이 많은 내게 어깃장을 놓는듯 했다. 그러나

이 말 또한 내가 '강박증'을 넘어서야 하는 것처럼, 넘어서야할 일이다. 힘내자. 병조.

2016. 10. 31. 20:54
머리가 아프다. 나는 역시 한 번에 여러 일을 할 수 없는 인간인가. 알고는 있었지만 이 정도일 줄은 몰랐다. 막연한 느낌은 있었지만 신체적으로 느낄 정도라니. 그래도 글은 써야 한다. 하루라도 쓰지 않으면 남겨두지 않으면 불안하다. 필력을 조금이라도 높이는 방법은 이 길 뿐이다. 생각이 끝이 아니다. 직접 손으로 쓰지 않더라도 키보드를 눌러야 한다. 그래야 내 필력을 높일 수 있다. 매일매일 꾸준히 쓰는 습관이다. 글쓰기를 정복하지 못한다. 글쓰기를 사랑해야 한다.

2016. 11. 3. 21:38
바쁘게 살았나. 삶의 여유가 없었나. 무엇이든 빨리 이루려는 마음 때문이었나. 오늘은 아무 것도 하기 싫다. 피곤하고 지친다. 엄마에게 군 시절 쓴

노트 3권을 받았다. 찬찬히 읽어 보았다. 안에
담긴 내용은 독서, 과거, 자기계발, 철학 등이었다.
과연 20대 초반의 나는 현실보다 추상의 세계에
가까이 붙어 있었다. 그 편이 더 쉬웠다. 현실은
비루했고 시궁창 같았으니, 헛된 이상만 쫓을
수밖에. 목이 아프다. 가슴을 펴고 다니자.

2016. 11. 7. 19:42
솔직한 게 재능이다. 글을 쓸 때마다 되새기는
원칙이다. 솔직하게 가감 없이 쓰면 힘이 저절로
빠진다. 잘 쓰려고 완벽하게 쓰려는 게 나의
고질적인 병이다. 나는 글을 배우는 초보다.
아마추어다. 이런 생각을 줄곧 하면 된다.
마음에 안 드는 문장이나 말이 있어도 일단은
참자. 초고는 반드시 써야할 의무사항이다. 걸레는
반드시 써야할 요소다. 라고 생각하면 편하다.
그러니 부담을 덜자. 할 수 있다. 할 수 있다.

2016. 11. 8. 17:00

힘이 난다. 허지웅의 글을 본 기점으로 힘이 나기 시작했다. 허지웅 때문에 힘이 난다는 의미는 아니다. 힘이 난 계기를 도무지 알 수 없어 그때 했던 일을 기준으로 잡은 것이다. 실은 그릿이라는 개념을 보고 힘이 난 것이기도 하다. 그릿은 포기하고 싶을 때 조금 더 나아갈 수 있는 능력을 계산한 지수다. 이 지수의 개발자는 개인적인 경험으로 지수의 신뢰를 높였다. 내가 힘이 난 이유와 무관하지 않다. 나도 포기하고 싶을 때 조금 더 나아갔던 경험을 갖고 있다. 즉 그렇다면 나도 나중에 성공하지 않을까 하는 심산이 깔려 있는 것이다. 제 눈에 안경이라고 내게 맞게 이론을 적용해보고 사실과 무관하게 기쁨을 느낀 것이다. 이 정도의 착각은 사는데 나쁘지 않다고 본다. 그래봤자 내가 성공할지는 증명할 수 없는 것이므로.

2016. 11. 9. 21:47

그릿이란 개념을 듣고 내 삶이 조금 달라졌다.

포기하고 싶은 때에 한 번 더 노력하게 된다.
걱정이 없는 건 아니다. 이러다 또 강박증 비슷한
게 생겨서, 쉴 때와 포기할 때를 구분하지 못하는
경우가 생긴다. 그래서 내 인생에서 줄곧 균형이란
말을 입에 달고 살았다. 균형. 우유부단한 내
생각을 좋게 표현하면 이렇게 된다. 오늘은 인터뷰
기사를 필사했다. 신동진 기자의 책을 호되게
비판했지만, 실은 덕을 많이 보고 있다. 그의 책이
최고는 아니어도, 그 후보에는 올릴 수 있는
까닭이다. 오늘은 자신감이 상승한다. 포기하고
싶을 때 한 발자국만 더. 이 단순한 말이 마법과
환상을 보고선 더더욱 다가온다.

2016. 11. 10. 19:50
내적 갈등은 꼭 있어야 하는가. 없었으면 좋겠다.
오늘따라 너무 힘이 부치는 날이다. 무얼 하나
선택하지 못하고 이러저러한 고민부터 한다.
어쩌지. 이게 맞을까. 아냐. 틀려도 좋아. 이런
생각들의 전복을 반복하는 내 머릿속이다.
밥하기보다 쉬운 글쓰기라니. 일상적인 제목의

내용이라 별로 끌리진 않았다. 하지만 내용을
들여다보니 실상 내게 필요한 것들로 가득 차
있었다. 황현산의 산문집에도 나왔던
이야기들이다. 초고는 걸레다. 초고는 필수다.
글을 잘 쓰려고 하지 말자에 대한 글들. 고맙다.
전영주 선생이여.

2016. 11. 11. 15:36
글 쓰는 게 고통스럽긴 하지만, 그만큼 행복한 것
같다. 어제는 금방이라도 때려 치우고 싶지만,
오늘은 그래도 할 수 있지 않을까 하는 마음이
든다. 도통 글에서 감동이란 걸 찾기 어려웠지만,
그래도 한 구절, 단어에서 감동의 새싹이 움튼다.
세월을 반성하게 된다. 지난 날을 돌이켜보면 나는
참 부끄러운 짓을 많이하고 살았다. 허세와 위선
거짓과 가식. 그 가면을 벗기면 또 새로운
가면들이 나타난다. 그렇다고 선택을 하는 자체를
후회하진 말자. 선택을 하지 않으면 삶이 나를
이끄는대로 이끌린다는 누군가의 말. 내 가슴 속에
낙인돼 흔들리지 않는 말이다. 지금 현재는.

2016. 11. 12. 15:40

글쓰기에 대한 자신감이 생긴다. 하지만 가장
중요한 건 이럴 때일수록 잘 쓰려고 하지 말아야
한다는 것이다. 결국 글쓰기는 기술도 중요하지만
태도의 문제인 것 같다. 적어도 내게는 그렇다.
아예 부담없이 글 쓰는 사람도 있고, 성과도 좋은
사람도 분명 있다. 하지만 나는 기술도 모자른데다
부담도 많이 가진 사람이라 힘든 점이 한 둘이
아니다. 그래도 포기하지 말고 버텨보자. 글쓰지
않고 살았던 지난 날이 아쉽고, 아깝지만
어쩌겠는가. 지금이라도 정신차리면 그만이지.
행복하자.

2016. 11. 15. 14:53

오랜만에 출근이다. 주말과 휴가를 포함해 3일이나
쉬고 나온 길이다. 사무실 책상에 앉아 가장 먼저
느낀 건 목에 느끼는 통증이다. 이 놈의 의자와
책상은 인체공학적이란 말을 아예 모르는 듯하다.
안 그래도 목 통증 때문에 병원도 다녀왔었는데,
오랜 시간 앉아있어야할 사무실 책상이 이

지경이니. 모니터를 눈높이에 맞게 조절해도
도무지 나아질 기미가 보이지 않는다. 짜증이
난다. 그리고 속이 불편한 까닭에 컨디션이 별로
좋지 않다. 나는 오늘 오랜만에 출근해서 이 따위
감정이나 털어 놓고 있다. 짜증난다고.
열받는다고. 그냥 막연한 불안감 따위가 온다고.
모르겠다. 하나씩 하나씩 배우고 나가자.
완벽해질순 없다. 화이팅 병조.

2016. 11. 17. 16:22
임정섭 소장의 책을 읽었다. 막막함이 몰려온다.
이 세상에는 참 많은 종류의 글쓰기 공식이 있다.
글쓰기3GO부터 시작해서 POINT 글쓰기까지.
비슷한 부분도 다른 점도 많다. 사람마다 분류하는
방식이 다를 뿐. 글쓰기에 정답이 있다는 생각
탓일 것이다. 잘 쓴 글과 못 쓴 글은 있는데,
도무지 글쓰는 방법에는 정해진 게 없다니. 방법이
없는 것을 건드린 난 또 카오스에 빠진다. 어떻게
할까. 글쓰기는 근력을 키우는 운동이다.
취미이다. 고매한 무언가라고 여기지 말자. 나는

할 수 있다.

2016. 11. 22. 14:30

W사의 면접이 끝났다. 그리고 나는 또 한 번의 탈락을 맛봤다. 분명 떨어져도 괜찮다고 했던 건 같은데, 막상 결과를 보니 쓰린 마음은 어쩔 수 없다. 그리고 쇼생크 탈출의 모건 프리먼이 생각난다. 가석방 심사에서 번번이 탈락하는 그의 모습. 나와 비슷하게 오버랩 됐다. 처음엔 나가서도 잘 살겠다고, 범죄를 후회하며 살겠다고 말한다. 그러나 그럴 때마다 가석방 심사에서 부적합 판정을 받는다. 그리고 거의 마지막 심사일지 모르는 자리에서 그는 솔직히 털어 놓는다. 어차피 안될 것이란 걸 알았기 때문일까. 지금 기억나는 말은 이렇다. "당신들이 뭐라하든 어차피 안될 걸 안다. 그런데 왜 자꾸 심사를 보느냐."

2016. 11. 24. 16:38

씨네21 이다혜 기자의 서평을 보았다. 이게 웬 걸. 정말 재미있었다. 서평을 이렇게 재미있게 쓰기도 하다니... 난 이제껏 대체 무슨 서평만 보았던 것인가. 독자의 흥미를 끄는 것은 물론 마무리까지. 1000자가 안되는 짧은 글에 이렇게 담아내다니. 그는 이제 나의 글쓰기 선생 중 한 명이 되었다. 축하한다.

2016. 11. 26. 18:09

글쓰기의 강박이 좀 줄고, 예전과 같은 생각이 들었다. 예전과 같은 생각이란, 어떻게 쓸지의 고민이 아닌 무엇을 쓸까에 대한 고민. 조사와 어미에 집착하는 것이 아니라, 전체적인 글의 흐름이나 구성에 집중하는 것. 이제껏 조사와 어미를 익혔던 이유는, 그 자체에 목적이 있었던 것이 아니라, 이것이 맞고 틀림을 안 다음, 나중에 글을 퇴고할 때 쓸 '도구', '연장'에 지나지 않는다는 걸 이제야 알았다. 힘들었다. 그러나 글을 잘 쓰려는 집착은 내려 놓자. 글쓰기는

노동이란 말보다, 글쓰기는 근력 운동이란 말이 더
좋다. 계속 근육 운동을 하는 것이고, 할수록
근력이 점점 더 느는 것이다. 이 말의 효용이
얼마나 갈 줄 모르겠다. 그때가선 또 다른 말이
생기겠지. 하지만 당분간 이 말의 효용을 쓰자.

2016. 11. 29. 17:43

살아남는 방법을 배우고 싶다. 허지웅의 인생을
보면, 그는 홀로 사는 법을 알고 있다. 나처럼
의존적이지도 않고 우유부단하지도 않다. 그의
피부에는 철저히 생존 본능이 각인되어있다. 물론
그는 시궁창에서 그런 본능을 배웠다. 하지만 나는
온실 속 화초에서 자란 것과 다름없다. 가족사가
어둡지도 않았으며 트라우마나 상처 또한 깊지
않다. 이런 내가 홀로 사는 법을 배우는 것은
고작해야, 책을 통해서 아님 그런 척하는
것뿐이다. 결국 따지고 보면 돈이다. 과감하게
일을 그만두고, 있어도 적당히 내 살길을 모색할
수 있느냐의 문제다. 나는 아직 그러지 못한다.
그리고 내겐 돈이 필요하다.

2016. 12. 11. 9:44

나의 불안, 여행의 끝. 드디어 여행이 끝났다.
오랜만에 다시 글을 쓴다. 새로운 도구로, 새로운
느낌으로. 한 동안 글쓰기 경험이 너무나 무뎠다.
물론 그보다 값진 경험을 했음에는 이루 말할 수
없다. 키보드도 새로 샀다. 기계식 키보드를 처음
접했을 때의 기분과는 조금 다르다. 이 키보드는
깔끔하다고 할까. 똑똑 떨어지는 맛이 좋다.
그것도 세게 눌렀을 때, 칼로 무를 또각또각 썰
때의 느낌같은 느낌이 있다. 새삼 글쓰기에 대한
마음을 다시 정돈해야 함을 느낀다. 여러 생각들이
머릿속에 정리되지 않은 채 남아있다. 나는 다시
천천히 정리해야 한다. 다만 날이 추워 걱정이다.
날이 추워 몸을 사리느라 정신 집중이 안될까,
걱정이다. 그러나 난 언제나 그래왔듯, 할 수
있다. 그럴 것이다.

2016. 12. 11. 18:30

오늘의 합리화 -〉 나중에 책 제목으로 써도 좋다.
글쓰기를 쉰지 어언 일주일 하고도 이틀.

감을 잃었나, 걱정이 되었던 게 사실이다. 심하진
않았지만 여행 중에도 문득 이 생각을 했다. 나란
인간. 이성적으론 아무리 그럴 수 없다고
생각해도, 드는 불안은 어쩔 수 없나보다.
그렇다고 내가 글을 엄청나게 잘 써서 이런
소리를 해대는 것도 아니다. 다만 그동안 글을 못
썼던 시간이 너무나 길었기에, 지금은 그나마
편하게 적을 수 있기에 이런 조바심을 내는
것이다. 참. 글을 잘 쓸 생각을 하지 말자는 것도,
결국 글을 잘 쓰고 싶어서 하는 생각이다.
아이러니하기에 그지없다. 참. 중언부언하다가
길을 잃었네. 아무튼 쉬고 나서 다시 글 연습을
하니, 어쩐지 걱정했던 것보다는 술술 풀리는 것
같다. 책도 안 읽고, 필사는 더더욱 못했으며,
가끔 글을 썼는데... 글쓰기를 근육이라고
생각하면 이해는 된다. 운동에서도 빡세게
얼마간을 운동하면, 그 다음에는 휴지기가
필요하다. 근육이 자리도 잡고 적응하는 단계일
것이다. 내게도 여행동안 쉬었던 그 기간이 딱
휴지기가 아닐까 싶다. 열심히 글 공부를 했으니,
조금은 쉬면서 두뇌를 정리하고 다시 정리된

두뇌에서 글을 쓰는 연습을 하는 것이다. 조바심 내지 말자. 오늘의 교훈이다. 다시 최선을 다하자. 남의 리듬이 아니라, 나의 리듬에 집중하자.

2016. 12. 12. 18:46
글 병이 도졌다. 다시 문장을 생각하고, 단어를 생각하고, 한 문장도 나가지 못한다. 왜이렇게 됐을까. 이유는 많다. 첫째. 글을 잘 쓰려고 했기 때문이다. 이건 평생을 가는 것 같다. 참 글을 부담없이 쓰는 게 힘들다. 특히 남에게 보여줘야 한다는 마음 때문인지 더한다. 다시 마음을 가다듬자. 나는 할 수 있다. 할 수 있다. 힘을 내자.

2016. 12. 14. 11:04
글쓰는 게 더 이상 두렵지 않다던 어느 작가의 말이 생각난다. 비법인 즉슨 글을 오래 썼기 때문이란다. 나도 어제 그 느낌을 조금 가졌다. 물론 첫 문장이 머릿속에서 미리 떠올랐기

때문이지만. 글이 술술 풀리는 게 느껴졌다. 더
의미있는 건 모든 힘을 다 빠진 않았다는 것이다.
적당한 긴장감을 유지한 채, 글을 무사히(?)
써내려갈 수 있었다. 감사하다. 하나님께,
스스로에게 감사할 일이다. 겸손하자. 나는 이
느낌과 기분을 잃고 싶지 않다. 누가보면
강박일지도 모르지만, 그동안 고생을 많이했다.
그러니 감을 잃지 않도록 최선을 다하자. 고마워,
병조야.

2016. 12. 15. 14:57
글쓰기를 업으로 삼으면 재미가 사라진다. 이 말을
오늘 절감하고 있다. 구성, 초고, 퇴고 단숨에 확
써버리는 글인 줄만 알았는데... 이렇게 복잡한
과정이 있을 줄은 나도 몰랐다. 기계식 키보드의
소리가 너무 커서, 여기서는 못 쓰겠다. 이런.
다시 빼야지.

2016. 12. 16. 16:52

정신이 없는 하루였다. 벌써 시간이 이렇게 됐나,
생각하게 되는 하루다. 늦게 일어나 점심을
먹었다. 이 점심이 문제라면 문제였다. 다소
불편한 자리에 오랜만에 가보니, 역시 불편했다.
그동안 내가 편한 공간에서, 편한 사람들만 나서
그랬나. 게다가 앉은 자리는 중앙. 평소 잘 앉지
않는 자리라서 그런지, 부담이 더 했다. 왠지
낙동강 오리 알 같았다고나 할까. 하지만 좋은
경험이었던 것 같기도 하다. 양 옆으로 흐르는
여러 잡담들 속에 나는 어디서 중심을 잡아야
할까. 구석에 있을 때는 옆에 사람만 맨투맨 하면
그만이었는데. 중앙에선 더 적극적으로 임하지
않으면 어려운 것이었다. 무슨 말이든 집중을 받기
쉽기 때문이다. 아무튼 속이 더부룩하고, 나의
리듬에 맞지 않는 환경, 식사였기 때문인지 시간이
무척 빠르게 지나간 듯하다. 찬찬히 하자. 끝

2016. 12. 23. 16:33

다시 글쓰기다. 오늘 힘과 노력을 다하여 한 편의

글을 완성했다. 수고스럽고 번잡한 일이었다.
마음이 정리되지 않은 채였다. 상관없었다. 오늘은
마음의 상태보다 엉덩이의 힘을 믿었다. 꼿꼿하게
밀고 나갔다. 이번 노동은 마치 내가 군에서 겪은
일과 비슷하다. 생각없이 일을 하는데서 오는
즐거움. 그저 묵묵히 일을 했고, 끝냈다. 글에
대한 고민도 잠깐은 내려놓았다. 하지만 계속
연습해야 하리라.

2016. 12. 27. 12:01
망할 공인인증서. 시도 때도 없이 요구한다.
새로운 파일과 번거로운 과정. 에휴. 그래도 어쩔
수 없다. 지금하나 나중에 하나 똑같다. 그저
묵묵히 지시에 따를 뿐. 컴퓨터가 그래도 말썽을
일으키지 않아서 다행이다. 내 좋은 컴퓨터.
확실히 글을 쓰고, 하다 보니. 자신감이 생긴다.
그리고 두려움도 한 층 더 없어진다. 글을 쓸
때마다 두려움을 가진다는 건 당연하다는데.
그리고 한 편으로는 글 쓰는 게 어렵지 안다
던데. 도대체 뭐가 맞는 말이지? 나는 지금으로

따지면 후자가 맞는 것 같다. 글을 연습하고
훈련할수록 글쓰기가 그렇게 어렵지 않게
느껴진다. 그렇다고 너무 잘 쓰려고 하지말자. 잘
쓰려고 하면 망한다. 오케이? 초고는 수단이다.

2017. 1. 3. 12:58
책 작업을 하느라 그동안 바빠서 글을 못썼다.
새롭게 만나는 기분이랄까. 그래도 책을 쓰는
과정에서 글을 볼 수 있었다는, 위로를 갖는다.
그러나 교정, 교열을 보는 걸 난 거부했다.
싫었다. 귀찮았다. 게을렀다. 또 고치려면
에너지가 무수히 많이 드는 까닭이다. 슥, 한 번
읽어보면 수많은 오탈자가 등장한다. 그래도
팔리려면 이 수고도 이겨내야겠지. 그게 파는 사람의
도리이며, 실제로 상품의 가치를 높이는 일이니까.
힘내자. All is Well.

2017. 1. 4. 12:43
망할 놈의 집착, 강박. 웹소설 연재를 시작할 때도

그랬지. 시도 때도 없이 조회 수를 확인하고,
새로고침하고. 이번 독립출판 프로젝트를 할 때도
마찬가지다. 반복된 습관, 행동이 가득하다.
병조야. 조금만 진정하면 안 될까? 이제
시작이잖아? 조금만 더 천천히, 집중하자.

2017. 1. 10. 15:48
마음을 잡기가 쉽지 않다. 글쓰기에 대한 막연한
두려움도 있다. 이대로 가다간 다시 글쓰기를
까먹을 것 같은 느낌이다. 힘을 빼야 하는데 힘을
잔뜩 주고 있다. 무엇이, 어디서부터, 언제부터
잘못된 것일까. 안정되지 않은 나의 마음 상태가
좀처럼 가라앉지를 않는다. 하루에도 몇 번씩
올랐다, 내려앉기를 반복하는 내 마음 상태. 가장
먼저 나타나는 현상은, 강박. 누군가의 응원이
필요하니? 병조야. 할 수 있다. 아니, 괜찮아.
임마. 사랑해.

2017. 1. 25. 13:02

잉여 생활과 우울 사이엔 어떤 상관관계가 있을까.
남들 다 일할 시간에 홀로 누워있기 때문일까.
인턴 생활을 계속했어야 했나. 아무렴 기자란
직무는 내가 생각하는 것과 많이 달랐다. 마감의
압박. 나는 이런 직종에 맞지 않다. 고민이
많아지는 이유다. 어쩌지. 오랜만에 글을 쓰니
손가락에서 신명이 난다. 잠깐의 행복.

2017. 1. 26. 16:07

홍세화 선생의 생각의 좌표를 읽고 있다. 오랜만에
책을 읽어서일까, 가슴 또한 오랜만에 뜨거워졌다.
핵심내용은 간단하다. 그러나 그의 문장과 문체는
설득력있다. 나는 오늘 조금의 용기를 다시
충천한다. 지적 충만을 채우는 일은 내게 용기를
가져다 주는 일이다. 무리한 단언이지만 책을 통해
용기를 얻는다. 내 생각은 도대체 어디서 왔는가,
에 대한 질문들을 한다. 나를 객관화하는 방식인
것이다. 객관화를 하며 부끄러움을 느낀다. 내
머릿속엔 칠판이 있다.

2017. 1. 28. 18:28

유시민의 책에서 힘을 얻었다. '솔직히 쓰는 게 재능이다.' 오래 전부터 생각했던 말이다. 다시 한 번 그의 입을 통해 깨닫는다. 어떤 이념, 종교, 사상에 휘둘리지 말자. 내 생각을 쓰자. 가장 솔직한 심정으로. 그게 내 문체, 내 스타일을 만드는 방법이다.

2017. 1. 30. 15:45

한 권의 책에서 번뜩이는 통찰을 얼마나 얻을 수 있을까. 하나만 되어도 족할 듯싶다. 나는 이 통찰을 유시민의 책에서 여럿 얻고 있다. 글쓰기란 관심 영역 때문이기도 하지만, 그가 글쓰기에 천재가 아니란 점에서 더욱 그렇다. 공감에서 비롯된 통찰의 위력이다. 초고는 되도록 빨리 쓴다. 문장의 멋이 아니라 내용을 먼저 생각하는 것이다.

2017. 2. 2. 13:42

글쓰기 공부를 했다. 정확히는 형식, 소설로
따지면 플롯. 나는 이제껏 문장의 멋만 생각하는
경우가 많았다. 근데 플롯을 쓰니, 내 묵은 체증이
풀리는 것 같다. 글은 세 가지 요소인데, 플롯 +
문장 + 내용 줄이면 두 가지. 형식과 내용
내용을 채우기 위해선 독서가 필요하다. 플롯과
문장은 근력 운동처럼 단련이 필요하다. 간단한
원리다. 나는 요새 막연한 두려움에 쫄아있다.
그래도 그전에 겪었던 시행착오 덕분에 위기를
이겨낼 지혜를 꺼내 쓴다. 블로그에 기록했던 것은
참 다행이다. 남의 글을 보는 게 내가 글을 쓰는
것보다 참 쉽다, 편하다, 재밌다. 편집기자?
출판사 직원? 오늘의 일기는 배설이다. 자유함을
느끼고 싶다. 근력운동 1일차. 다시 시작한다. 할
수 있다. 병조야. 천천히 다시 쫄지 말고,
시작하자.

2017. 2. 9. 14:00

모든 것을 하나 하나 내려 놓는 중이다. 내려

놓는다는 게 또 다른 강박이될까 걱정은 있다.
오늘의 글쓰기는, 유시민의 말대로 결국 사람을
움직이는 감동, 솔직하게 쓰는 게 답이라는
이야기. 전적으로 공감하는 바이다. 문장을
통일하는 것도 좋지만, 글은 결국 진심을 담아야
한다는 것. 조금만 진정하자. 취업사이트만 보면
평소와 다른 리듬과 패턴에 진정하지 못한다.
조급하고, 스트레스 받고 평안을 얻지 못한다.
누군가의 말을 끊임없이 쫓고, 또 쫓고. 성숙하고
싶다? 성숙한다는 건 뭘까.

2017. 2. 13. 14:57
매번 다짐하는 게 마음을 진정시키자는 마음이다.
무언가 딱딱 로봇처럼 정리되길 바래서일까.
조금만 흩어진다 싶으면 이내 무언가 잘 안되고
하루를 망치는 느낌이다. 똥밭에도 구르고
가시밭에서도 구르며 인생을 살아가는 건데 나는
마치 흙을 만지기 싫어하는 아이처럼 내 마음이
흔들릴까 아무것도 하지 못한다. 내가 지키려는
것은 평정심일까. 아니면 다른 무엇일까. 제갈량은

평정심을 유지하기 위해 겨울에도 부채를 들고
다녔더랬지. 그렇게 보면 요즘 유심히 보고 있는
문재인 또한 대단한 것 같다. 수많은 압박과
혼란한 질서 속에서도 평정을 유지하고 있는 것
같은 자세. 책을 읽으면 조금 나아진다. 하지만
나는 책을 읽지 않을 때도 그러고 싶은 마음이다.
일단. 자소서를 쓰자. 오늘. 하나의 걸림돌만
이겨내려고 하자.

2017. 2. 15. 11:08
특히 그렇다. 빠른 시간 안에 여러 정보를
얻으려다보니 마우스 클릭 속도가 빨라졌다. 나도
모르게 여러 페이지를 넘기고 정말 '홍수'속에서
물을 몇 사발이나 마신 느낌이다. 그렇지만 딱히
방도도 없다. 홍수는 언제나 내 눈 앞에 있고
나는 홍수와 거리를 둘 수도 없는 지경이다. 빨리,
빨리. 언제부턴가 나의 삶 모든 게 이 부사들로
덮여있다. 내가 평소 제대로 쉬지도 못하는 이유도
같다. 무언가를 빨리 해야 하는데 그렇지 못하기
때문이고, 나 이외의 시간은 특히 낮과 밤의

변화는 너무나 빠르게 지나간다고 생각하기
때문이다. 하루에 딱 하나만의 일을 하는 게
가능할까. 가능의 문제라기보단 마음을 그렇게
놓을 수 있을까.
나에게 필요한 건 무엇일까. 성숙을 위한 지침이
필요하다. 오랜만에 글쓰기. 글쓰기를 생각하며 두
가지를 떠올린다. 하나는 오르지 못할 나무라는
것. 그럼에도 오르고 싶다는 소망. 강신주 박사의
말이 떠오른다. 꿈을 진정 품는 이에겐 오르는
수고가 더 크게 느껴진다고. 그의 말을 인용해 내
위안을 삼고도 싶다. 글쓰기는 근육이라는 생각.
초고는 무조건 거쳐야할 단계라는 생각. 나는
나만의 글. 그러니까 똥글도 괜찮다는 생각을
넣는다. 욕심과 위로가 맞부딪히고 갈등한다. 다시
강신주의 말이 떠오른다. 생각하지 말고 행동 먼저
하라. 그럼에도 하고 싶으면 그게 진정한 당신의
꿈이다. 글을 써보자.

2017. 8. 1. 10:14
홍세화의 글을 읽는다. 자아 성찰의 계기로

삼는다. 얼마 전 후배의 태도가 거슬렸다. 다른 건
둘째고 업무에 관한 거였다. 날 만만하게보나.
아니면 내가 너무 신경을 쓴 탓일까. 인간관계의
호구는 진작 경험했던 터. 더 이상 당하지
말아야지 하면서도. 믿으면서 가야지 하는 것도.
결국 힐링캠프 한혜진을 비웃었던 나는 내가 그
꼴이 돼서야 깨닫는다. 나도 아주 천천히 배워

2017. 8. 3. 10:03
일기를 다시 꺼내 봤다. 짧은 시간이지만 조금의
기억들이 지나갔다. 글을 쓸 때 부담없이 쓰라는
말과 또 편하게 쓰라는 말. 그리고 가장 중요한
문장을 생각하고 쓰지 말라는 말. 글은 어떻게
쓰냐보다, 무엇을 쓴다는 게 중요한 말. 정말 일기
쓰기 잘했다는 생각이 든다. 이렇게 보니 글쓰기도
참 편해지고 좋다. 이다혜의 글을 한 편 보고
블로그를 마쳐야겠다. 글쓰기가 한 결 편해졌다.
몇 개월 동안 잊고 있었던 글쓰기 세포가 다시
살아난다. 무엇을 쓰냐가 중요하다. 독자가 읽는
게 중요하다. 나는 다시 쓰기의 집중한다.

감사하다. 늦었지만 다시 힘내자.

2018. 4. 1. 21:45

1년이 채 지나지 않았다. 다시 일기를 쓰게 됐고,
나는 혼자가 됐다. 잘 모르겠다. 연애 전과 후 내
모습은 여전하다. 홀로 되며 다시 나를 살펴보니
그렇다. 여전히 글쓰기가 두렵고, 강박에
시달리며, 달래야 한다. 미디어전략팀으로 오며
스트레스가 없어진 탓일 수도 있다. 기사에 대한,
정확히 말하면 아이템에 대한 스트레스가 거의
없다. 재밌는 글을 쓰고 싶다는 생각도, 좋은 글을
쓰고 싶다는 생각도 요샌 무뎌졌다. 글에 대해서
자신감이 있는 것도 아니지만 열망이 떨어진 것
같다. 나는 그대로의 나였고, 글은 여전히
딱딱하고 현학적이며, 달라진 것은 없는 것 같다.
다시 걸음마부터 떼야할까. 내 걸음마는 필사다.
자신감을 북돋을 때 필사만큼 좋은 것도 없다.
막연한 글쓰기에 그래도 성과가 쌓이는
느낌이니까. 무조건 좋은 글만을 써야한다는
착각을 벗어나기 어제도 지금도 여전히 쉽지 않다.

커트 보니것의 글을 읽고 있다. 미국 풍자가라고
하는데 잘 모르겠다. 외국식 농담은 막연히 웃을
수 있으니 웃어야 한다는 생각이다. 책을 덮고
싶은 마음이 가득하다. 책을 읽는 게 아니라 책을
해석한다는 느낌이 강하다. 온전한 공감이
이뤄지지 못하니, 자연히 책에 대한 비판과 비평도
할 수 없다.

2018. 5. 23. 23:12
얼마 전 밤에는 참 좋은 생각이 떠올랐다. 정직한
삶을 살아야겠다는 생각. 고민정 청와대
부대변인의 인터뷰 기사를 읽고 나서였다. 신영복
선생을 따르는 이유가 말과 글이 일치하기
때문이랬다. 그리고 문 대통령도 그런 사람이란
걸. 왠지 모르게 신뢰가 갔다. 나는 오랜시간 그
가치를 잊고 살아간다. 기사를 읽고 난 지 며칠
안됐지만, 벌써 그 기분을 잊어가고 있다. 슬픈
일이다. 남겼던 기록은 부끄러워 삭제했다. 다시
고민정의 글을 읽는다면 마음에 뜨거운 불이
살아날까. 명상을 해봐야겠다는 생각이 든다.

지루하고 아직은 어색하지만 그래도 그 느낌이 올 것만 같다. 정직한 삶. 솔직한 삶. 잊고 있었던 가치다. 나를 떠나지 않았으면 좋겠다. 부디. 강하게 붙잡아야만 겨우 떠나지 않는다. 대단한 문장가가 되고 싶다는 생각을 버리려 하는데도 마음을 편히 가지려 해도, 내 이는 언젠가부터 힘을 꽉 주고 있다.
내 호흡이 조금 더 단단해지기를. 그러면서도 힘을 뺀 유연한 삶이 되기를.

2019. 7. 8. 0:49
1년 넘게 글을 안썼다. 오랜만이다. 글을 쓰는 것은. 편집기자로 항상 요약하고 제목만 뽑았는데. 무신통선사 자격증을 따야겠다.
다른 꿈을 꿔봐야겠다.

추천사

이 책은 나와 함께 작업한 〈오늘도 속으로만
욕했습니다〉가 망했고, 그래서 작가 생활을 다시
한 번 돌이켜본다는 취지로 쓰여 졌는데, 이 점이
나를 찌른다. 나는 또 무슨 찌질함과 죄책감이
있어 이 말도 안 되는 추천사를 쓰고 있는 걸까.
심지어 추천사는 생전 처음 써본다. 그와 나는
찌는 여름, 서울역에서 만나 말했었다.
〈오속욕〉으로 성공해 보자고. 그래서 너도 나도
함께 성공을 맛보자고. 하지만 나는 그대로고,
강병조 작가님도 그대로인 듯하다. 아니, 작가님은
자기반성을 하는 글을 쓰고 있으니 어쩌면 조금
성장했을지도?
이 책을 통해서도 알 수 있듯, 강병조 작가는 정
말 열심히 글을 쓴다. 단어 하나에도, 문장 하나에
도, 독자의 입말까지 고려하며 글을 쓰고 고쳐 나
간다. 그에게 대충은 없다. 그리고 글쓰기에 대한

애정이 넘쳐 난다. 어느 정도는 알고 있었지만 이 책을 보며 이 정도로 글쓰기를 사랑했는지는 몰랐다. 아! 나는 이제 알았다. 자신이 좋아하는 일로 성공하고 싶어 하는 욕망의 솔직함이 사람들에게는 찌질하게 보인다는 것을. 나 역시 그와 비슷한 마음이기에 애써 외면하고 싶지만, 그래도 나랑 비슷한 인간이 또 한 명 살고 있구나 싶어 안도가 된다. 어쩌면 누군가를 질투하고, 유명 작가가 되고 싶어 하는 등의 욕망의 솔직함과 그 욕망을 뒷받침해 주는 글쓰기에 대한 사랑이 강병조 작가님이 써 내려가는 책의 존재의 이유가 아닐까 싶다.

영문과인데 시인이 되겠다고 한 사람은 갑자기 기자가 됐고, 난 그가 쓴 모든 기사들에 '좋아요'를 누르며 응원했다. 그리고 작가가 된 지금도 그렇다. 앞으로도 새롭게 펼쳐질 그의 글 여정에서 언제나 응원자가 되겠다.

그러다 먼 훗날, 나도 성공하고 너도 성공했을 때 결국 우리는 〈오속욕〉으로 성공했노라며 이야기하는 날이 어서 오기를 바랄 뿐이다. 건투를 빈다.

편집자 E

솔직하게 쓰는 중입니다

ⓒ 강병조

발행일 2023년 10월 16일

지은이 강병조

인스타그램 @ggivemeabottle

발행처 인디펍

발행인 민승원

출판등록 2019년 01월 28일 제2019-8호

전자우편 cs@indiepub.kr

대표전화 070-8848-8004

팩스 0303-3444-7982

정가 10,000원

ISBN 979-11-6756403-0 (02810)